Les meilleures recettes pour
diabétiques

ANTONY WORRALL THOMPSON   AZMINA GOVINDJI B. Sc., RD

Gastronomie santé
pour diabétiques

Traduction de : Dominique Chauveau

Photographie : **Steve Lee**

Guy Saint-Jean
ÉDITEUR

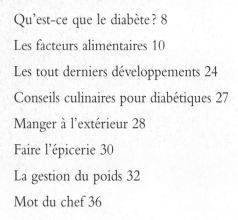

Plats principaux 99

Desserts 127

Dédicace

À Frank Shiel, mon nouveau papa et beau-père, qui a appris récemment qu'il était diabétique.

Remerciements

J'aurais énormément de gens à remercier, mais certains d'entre eux méritent une mention spéciale :

Ma merveilleuse femme, Jacinta, et nos deux enfants, Toby et Billie, qui, malgré mon manque de disponibilité pour eux, m'ont soutenu tandis que je jonglais avec mes trois livres en production en plus des autres choses dans ma vie.

Louise, énergique et ultra-efficace, qui s'est occupée de centaines d'appels téléphoniques provenant des éditeurs et qui était toujours là pour prendre les choses en main lorsque la pression se faisait trop forte.

Fiona Lindsay, Linda Shanks et Lesley Turnbull, chez Limelight Management, qui sont toujours présentes pour s'assurer que je ne manque pas de travail.

Mon équipe du Notting Grill, en particulier David, George et Candido, qui ont pris la relève lors de mes nombreuses absences.

Mes amis Nicki, Kate, Sarah, Margot, Suzie, June, Anne et John, ainsi que Mike et Nicky qui, sans le savoir, m'ont servi de cobayes pour de nombreuses recettes.

Azmina Govindji qui a patiemment attendu les recettes afin d'en faire l'analyse nutritionnelle et qui a rédigé une excellente section sur le diabète dont je n'avais que des notions limitées.

Finalement, Muna Reyal, mon réviseur et sa fabuleuse équipe chez Kyle Cathie pour m'avoir permis de publier ce livre de cuisine. Ils en ont fait un merveilleux ouvrage à la portée de tous les diabétiques qui, je l'espère, se rendront compte qu'en matière de nourriture, la vie n'a pas besoin de changer complètement. A.W.T.

La rédaction de cet ouvrage a été un véritable plaisir pour moi grâce à la coopération d'Antony qui a pris en compte les demandes qui, parfois, représentaient de véritables défis. J'ai aussi été soutenue par Muna Reyal qui a toujours été si compréhensive et obligeante à mon égard. Des gens extraordinaires ont ajouté un plus à mes écrits – Nina Puddefoot qui fut une source d'inspiration ; Sue Baic, diététiste et conférencière ; mon mari Shamil et mes enfants, Shazia and Bizhan. J'aimerais finalement remercier la Diabetes Research and Wellness Foundation pour m'avoir fait autant confiance. A.G.

Note importante

Les informations et les conseils de ce livre sont un guide général pour une alimentation saine et ne sont pas spécifiques à chaque individu ou à des circonstances en particulier. Cet ouvrage ne remplace en aucun cas un traitement médical prescrit par un praticien qualifié. Ni les auteurs ni l'éditeur ne peuvent être tenus responsables de plaintes découlant d'un usage inapproprié de tout régime alimentaire. Si vous souffrez d'une affection grave ou chronique, ne vous lancez pas dans un autodiagnostic ou un autotraitement sans avoir, au préalable, consulté un professionnel de la santé ou un praticien qualifié.

Depuis trop longtemps, les gens atteints de diabète ont vu leur diagnostic marquer la fin d'une ère de bons repas et la diminution drastique de leur qualité de vie. Aujourd'hui, la disponibilité d'aliments de plus en plus frais et variés, l'influence des cuisines du monde et des études de plus en plus poussées en diététique permettent enfin aux diabétiques de cesser de se priver.

C'est précisément ce que les auteurs démontrent dans ce livre à la fois éducatif et inspirant. En effet, en plus de renseigner sur le diabète et sur la nutrition, ce livre propose une foule de recettes qui ont la particularité d'être à la fois délicieuses et tout à fait adaptées à votre condition, pour vous régaler en famille ou avec vos invités de marque.

De nombreuses associations ont comme mission, entre autres, d'encourager la recherche sur la maladie et d'informer leurs membres des derniers développements. Si vous ne le faites pas déjà, n'hésitez pas à faire appel à leurs services et à l'information qu'elles détiennent pour vous impliquer concrètement dans le traitement de votre maladie (voir la page 143 pour des coordonnées utiles). Mais pour composer des menus qui combleront votre appétit autant que vos papilles gustatives en plus d'être sains pour tous les membres de votre famille, vous tenez entre vos mains un ouvrage incomparable dont vous ne pourrez plus vous passer! Bon appétit!

Qu'est-ce que le diabète?

Avez-vous récemment appris que vous souffrez de diabète? Ou quelqu'un de votre entourage est-il diabétique? Si oui, vous bénéficierez des quelques faits sur le sujet et sur la façon de vivre avec la maladie livrés ici et vous pourrez continuer de mener une vie remplie et active.

Lorsque vous êtes atteint de diabète, le taux de glucose (sucre) dans le sang (glycémie) est trop élevé parce que votre corps est incapable de l'utiliser correctement. Une hormone appelée insuline aide le glucose à pénétrer dans les cellules où il est utilisé comme carburant par l'organisme. S'il n'y a pas suffisamment d'insuline, ou si la production d'insuline n'est pas adéquate, le glucose peut s'accumuler dans le sang.

Les types de diabète

▸ Le diabète de type 1, ou diabète insulinodépendant (DID), survient lorsqu'il y a un grave manque d'insuline dans l'organisme. On le traite par des injections d'insuline et une variété d'aliments sains.
▸ Le diabète de type 2, ou diabète non insulinodépendant (DNID), est le plus fréquent des diabètes et plus de 80 % des gens qui en sont atteints ont une surcharge pondérale. Ce type de diabète survient lorsque l'organisme peut encore fabriquer de l'insuline, mais pas suffisamment pour combler ses besoins. Cette condition peut se soigner soit par une alimentation saine seulement, soit par une alimentation saine jumelée à des comprimés ou, parfois, par une alimentation saine jumelée à des injections d'insuline.

Qu'est-ce qui provoque le diabète?

Il ne semble pas y avoir de cause spécifique, mais plutôt une combinaison de facteurs génétiques et environnementaux. Nous savons que le diabète est héréditaire et que les gens qui ont un surplus de poids risquent davantage de développer un diabète de type 2.

On n'a pas encore trouvé de cure miracle et il n'existe pas, par exemple, de diabète léger. Le but principal d'un traitement est d'éviter les taux élevés ou faibles de glycémie. Associé à une alimentation saine, cela vous aidera à améliorer votre bien-être et à vous protéger des dommages à long terme aux yeux, aux reins, aux nerfs et au cœur.

Reconnaître les signes annonciateurs

L'une des difficultés que présente le diabète (surtout le diabète de type 2) est l'absence de symptômes. Pour bien des gens, un diagnostic de diabète tombe après un examen médical de routine. Donc, si vous craignez d'avoir le diabète (par exemple, si vous avez des antécédents familiaux de diabète ou un ou plusieurs des facteurs de risque listés ci-dessous), un simple test sanguin pourra vous éclairer. Plus un diabète est diagnostiqué tôt, mieux il se soigne.

Ce qu'il faut rechercher

Si vous ressentez l'un des symptômes listés ci-dessous, vous pourriez être diabétique:
▸ Soif intense, surtout pour les boissons sucrées;
▸ Mictions fréquentes, surtout la nuit;
▸ Grande fatigue;
▸ Perte de poids inexpliquée;

▸ Démangeaison des organes génitaux ou muguet récurrent;
▸ Vision trouble.

Les symptômes ci-dessus sont caractéristiques du diabète de type 1, le plus facile à diagnostiquer, et ils peuvent se soulager rapidement par un traitement. Cependant, si vous avez un diabète de type 2, le plus fréquent chez les gens de plus de quarante ans, ces symptômes peuvent être moins évidents, voire inexistants.

Faible taux de sucre dans le sang

L'hypoglycémie est le terme médical utilisé pour décrire un faible taux de sucre dans le sang; une crise d'hypoglycémie peut survenir lorsqu'on:
▸ saute un repas ou un goûter;
▸ s'engage dans une activité énergique sans avoir suffisamment mangé;
▸ s'injecte plus d'insuline que nécessaire;
▸ boit de l'alcool à jeun.

Parfois, cependant, une crise d'hypoglycémie peut se déclencher sans raison précise. Les signes et les symptômes varient, mais les plus fréquents sont un léger étourdissement, une sensation de faiblesse, de la sudation, des tremblements, la faim et de la confusion.

Une crise d'hypoglycémie devrait être traitée en prenant un comprimé de dextrose, de l'eau sucrée ou un morceau de sucre pour élever immédiatement et rapidement le taux de glucose, suivi (en dedans de 30 minutes) de quelque chose de plus substantiel (un verre de lait et une tranche de pain grillé) pour maintenir un bon taux de sucre dans le sang.

Le syndrome X

Peut-être avez-vous déjà entendu parler du syndrome X sans savoir ce dont il s'agit. Ce terme définit, en fait, une série de facteurs reliés à l'état physique, dont :

▶ l'obésité centrale, qui signifie un tour de taille de plus de 94 cm (37 po) chez les hommes – 92 cm (36 po) chez les Sud-Asiatiques, qui sont plus à risque – et de plus de 82 cm (32 po) chez les femmes ;
▶ un mauvais contrôle de la glycémie ;
▶ une tension sanguine élevée ;
▶ des taux de lipides anormaux dans le sang, dont des triglycérides élevés et un HDL (le bon cholestérol – voir page 16) faible ;
▶ un sang épais ayant tendance à former des caillots.

Un diagnostic de syndrome X est posé lorsque trois de ces symptômes ou plus surviennent ensemble. Chacun d'eux est en soi un facteur de risque de cardiopathies et le fait d'en avoir plus d'un en augmente considérablement les risques.

Quelle en est la cause ?

Le syndrome X, parfois appelé syndrome métabolique ou syndrome insulinorésistant, semblerait découler d'un facteur génétique. Donc, si un membre de votre famille en est atteint, cela augmente vos risques de l'avoir. On pense que toutes les conditions qui lui sont associées découlent d'une même cause : l'insulinorésistance. L'insulinorésistance consiste en une sensibilité réduite des tissus de l'organisme aux effets hypoglycémiants de l'insuline. Le pancréas tente alors de produire plus d'insuline, ce qui entraîne des taux élevés

en circulation dans le sang. Dans les cas d'insulinorésistance grave, un diabète de type 2 peut se développer.

Est-ce fréquent ?

Le syndrome X semble être très fréquent en Occident. Aux États-Unis et en Scandinavie, on évalue qu'entre 10 et 25 % des adultes démontrent certains degrés d'insulinorésistance. On qualifie parfois ce syndrome de silencieux parce que la plupart des gens n'en sont pas conscients.

Les facteurs de risque comprennent l'obésité, des antécédents familiaux de diabète de type 2 et un historique de diabète pendant la grossesse.

Que faire si on souffre du syndrome X ?

Des recherches ont démontré que l'insulinorésistance et les symptômes du syndrome X peuvent s'améliorer en apportant des modifications à notre mode de vie, telles que d'entreprendre une activité physique et d'adopter une alimentation saine. Certaines recherches laissent supposer qu'une alimentation basée principalement sur les aliments ayant un faible indice glycémique (voir page 12) peut améliorer la sensibilité à l'insuline chez les gens ayant un diabète de type 2, mais son rôle dans le syndrome X n'est pas clair pour l'instant. Ces approches, si elles sont adoptées avec succès, sont très efficaces pour réduire le risque de cardiopathies et le développement d'un diabète de type 2.

Guide de vie pour le syndrome X

▶ Faire régulièrement de l'exercice physique, tel que la marche rapide.
▶ Réduire la consommation de gras, surtout les gras saturés. Les remplacer par des gras monoinsaturés et polyinsaturés de sources végétales et de poisson.
▶ Choisir des glucides contenant de l'amidon et des aliments riches en fibres, des fruits et des légumes.
▶ Maintenir son poids à l'intérieur des 20 % des cibles idéales.
▶ Boire de l'alcool avec modération seulement.
▶ Éviter le tabagisme.

Les facteurs alimentaires

Votre alimentation est ce qui compte le plus dans votre traitement pour le diabète. Que vous deviez prendre des médicaments on non, les aliments que vous choisissez et la fréquence à laquelle vous mangez ont un impact significatif sur votre glycémie. Ce que vous consommez affecte aussi la quantité de gras (comme le cholestérol) dans votre sang. Si vous êtes diabétique, vous courez déjà des risques accrus de développer une cardiopathie, c'est pourquoi il est particulièrement important de surveiller votre alimentation. L'insuline ou les comprimés ne sont pas des substituts à une alimentation saine.

Cet ouvrage comporte beaucoup de conseils sur l'alimentation. Choisissez les modifications qui vous sembleront les plus faciles à intégrer à votre mode de vie. Ne pensez pas en fonction des aliments que vous devez prendre ou non. Une alimentation saine doit avant tout être équilibrée ; sélectionnez une variété d'aliments sains que vous aimez et ne vous forcez pas à manger des aliments qui vous déplaisent.

Un goût méditerranéen

Comme l'alimentation méditerranéenne, avec son abondance d'huile d'olive, d'ail, de poisson, de noix, de fruits et de légumes, a été associée à une diminution des risques d'affections comme les maladies coronariennes et le cancer, il est sensé d'incorporer les aliments qui font partie de la cuisine méditerranéenne à un régime alimentaire pour diabétique. De récentes recherches soutiennent l'idée qu'il peut être plus important de manger les bonnes sortes de gras que de diminuer réellement la quantité de matières grasses ingérées. Il a été démontré que la quantité totale de matières grasses ingérées par les Méditerranéens est relativement élevée, mais si on l'étudie de plus

près, on remarque qu'elle est riche en huiles monoinsaturées (comme l'huile d'olive) et en gras oméga-3 (qu'on trouve dans les poissons gras).

Des recherches ont laissé supposer qu'une consommation aussi faible que 25 g (1 oz) de poisson gras (tel que saumon, hareng, maquereau et thon) une fois par jour pouvait diminuer de façon significative l'incidence de cardiopathies et qu'elle pouvait même être bénéfique pour ceux qui avaient déjà eu une crise cardiaque. Les Méditerranéens consomment aussi plus de fruits et de légumes, ce qui leur permet de profiter des bienfaits d'une bonne quantité d'antioxydants (voir page 22), sans parler d'une grande quantité d'ail et du verre de vin rouge classique dont les bienfaits thérapeutiques ne sont plus à démontrer. Il a été prouvé que l'ail liquéfiait le sang, favorisant sa circulation, tandis que les ingrédients actifs dans le vin rouge, les phénols, agissaient de façon semblable aux vitamines antioxydantes, d'où la croyance qu'un verre de vin par jour protège des cardiopathies.

Les aliments contenant de l'amidon

Les aliments glucidiques contenant de l'amidon ou amylacés (tels que le pain, le riz, les pâtes, les céréales, les chapatis et les pommes de terre) sont sains et naturellement pauvres en gras. Plusieurs recettes dans cet ouvrage contiennent des pâtes, un aliment amylacé excellent pour les diabétiques. Les aliments amylacés sont aussi rassasiants et s'ils sont cuisinés correctement, avec un minimum de matières grasses, ils peuvent vous aider à perdre du poids.

Les variétés de pains et de céréales complets ainsi que la peau des pommes de terre sont riches en fibres. Les aliments amylacés riches en

fibres tels que les céréales de son et le pain complet aident tout particulièrement à prévenir la constipation. Une alimentation riche en fibres est bonne pour toute la famille, mais n'oubliez pas que plus elle contient de fibres, plus il est important de boire. Vous devriez boire au moins six à huit verres de liquides par jour.

Les céréales à l'avoine, comme le muesli et le porridge, contiennent peu de fibres solubles. Ces aliments sont souvent absorbés plus lentement que les aliments amylacés en général et ils peuvent jouer un rôle significatif dans le maintien de la glycémie à l'intérieur d'une échelle saine. Les céréales d'avoine chaudes instantanées contiennent des fibres solubles, mais puisque l'avoine a été écrasée, elles ont moins d'effet sur le ralentissement d'une hausse de glycémie après les repas.

Il est important de répartir uniformément l'ingestion d'aliments amylacés pendant la journée et de manger régulièrement. Cela aide à réduire les fluctuations du taux de glycémie.

Les glucides

Feuilletez le journal... il n'est ni inhabituel ni surprenant d'y trouver plusieurs articles sur les dernières tendances en glucides, que ce soit pour vous dire d'éviter de consommer du blé, que les aliments amylacés font engraisser ou que les pâtes sont le meilleur aliment jamais inventé. Comment saurez-vous ce qu'il y a de mieux dans un cas de diabète ? Ces opinions sont-elles controversées ou est-ce que les experts les approuvent ? Passons en revue certaines des questions qui portent le plus à confusion.

La structure chimique des glucides affecte la façon dont ils sont métabolisés. Les glucides simples sont composés de courtes chaînes de

SUCRE (GLUCIDES SIMPLES)	AMIDON (GLUCIDES COMPLEXES)
Glucose	Pain, y compris les chapatis et le pita
Fructose, dans les fruits, quelques légumes et le miel	Tortillas, etc.
Sucrose, comme dans le sucre de table	Pâtes, nouilles
	Riz
Maltose	Pommes de terre, bananes plantains, manioc, ignames
Lactose, seulement dans le lait et les produits laitiers	Céréales

sucre tandis que les glucides complexes possèdent des structures plus longues.

L'alimentation faible en glucides

Les régimes faibles en glucides, l'un des plus connus étant le régime Atkins, impliquent typiquement les repas à base de viande, de volaille, de poisson, d'œufs et de fromage tout en restreignant sévèrement tous les aliments riches en glucides comme le pain, les pommes de terre, les pâtes, le riz, la pizza, les croustilles, les céréales et les sucres. Ils limitent aussi la consommation de la plupart des fruits, de certains légumes et de plusieurs boissons alcoolisées.

Certains de ces régimes permettent de grandes quantités de beurre, d'huile, de fromage, de viandes grasses, mais ils ont tendance à être riches en protéines. Trop de protéines peut créer une tension sur les reins et, puisque les diabétiques sont sujets à développer des problèmes rénaux, il est dangereux pour eux de trop en consommer. Alors qu'une plus grande ingestion de glucides est permise lorsque vous voulez perdre du poids, le régime en soi est contesté par l'opinion internationale générale pour une bonne santé et le contrôle du poids. Pour le moment, il n'existe aucune preuve scientifique qui soutienne la nécessité de se soumettre à de tels extrêmes à faibles glucides, surtout pour quelqu'un qui souffre de diabète.

Les glucides sont-ils acceptables?

Qu'en est-il au juste des pâtes? Devriez-vous éviter de manger des pommes de terre? Il vaut mieux des repas adaptés aux individus plutôt qu'à plusieurs personnes qui visent le même but, car des gens obtiendront de meilleurs résultats que d'autres avec des aliments contenant moins d'amidon.

La plupart des diabétiques de type 2 tireront profit d'une perte de poids, donc pour eux, consommer des aliments amylacés qui sont caloriques ne leur sera pas utile. Si les repas et les goûters équilibrés sont maintenus, il n'y a aucune raison d'éliminer de votre alimentation quotidienne les aliments amylacés que vous préférez. En fait, il existe quelques glucides qu'on encourage vraiment à consommer: ceux qui ont un faible indice glycémique (voir ci-dessous).

Pour ce qui est du sucre, qui est aussi un aliment glucidique, le conseil est différent mais, de nouveau, oubliez le mythe que vous ne pouvez rien consommer de sucré lorsque vous êtes diabétique (voir page 15).

L'indice glycémique (IG)

Lorsque vous consommez des aliments glucidiques (tels que du pain, des pommes de terre, des pâtes ou des céréales), l'organisme digère l'amidon jusqu'à ce qu'il finisse par se transformer en glucose (sucre). Il peut ensuite être utilisé en énergie par l'organisme, et c'est ce glucose qui contribue aux taux de glycémie.

Le glucose provient aussi d'autres aliments, mais principalement des aliments qui contiennent de l'amidon et du sucre. Donc, est-ce aussi simple que de surveiller l'amidon et le sucre dans votre alimentation? De nouvelles recherches ont démontré que tous les aliments glucidiques n'avaient pas le même effet sur le glucose sanguin. En outre, la quantité et la sorte de gras, la sorte de fibres et même la façon dont les aliments sont cuits ont plus d'importance.

L'indice glycémique est une échelle alimentaire classant la façon dont les aliments affectent les taux de glycémie. Plus un aliment est décomposé rapidement pendant la digestion, plus le taux de glucose sanguin augmentera rapidement. Puisqu'un des principaux buts du traitement des diabétiques est de maintenir les taux de glucose dans le sang stables pendant la journée, les aliments qui provoquent de fortes hausses sont maintenus au minimum, sauf dans des circonstances particulières telles que la maladie, l'hypoglycémie (voir page 8) ou l'exercice. Les aliments qui provoquent une hausse rapide de glucose dans le sang auront un indice glycémique élevé, donc la clé est de choisir régulièrement des aliments dont l'indice glycémique sera plus faible (voir pages 13 et 14). Les effets d'un repas à indice glycémique bas peuvent se répercuter sur le repas suivant, ce qui aide à maintenir le glucose sanguin plus stable pendant la journée.

Puisque les aliments à indice glycémique faible réduisent les pics de glucose sanguin qui suivent souvent un repas, ils peuvent contribuer à prévenir ou à diminuer les possibilités de contracter un diabète de type 2 si vous êtes à risque, comme dans le cas du syndrome X (voir page 9). Les aliments à faible indice glycémique peuvent vous aider à manger moins, car vous vous sentez rassasié pendant plus longtemps. De plus, les gens qui suivent un régime à faible indice glycémique ont une incidence plus faible de cardiopathies, et on remarque une amélioration des taux de bon cholestérol (voir page 16).

Quels aliments devriez-vous choisir ?

Les aliments complets, tels que les grains entiers, et ceux qui sont riches en fibres solubles, par exemple les haricots secs, prendront plus de temps à être décomposés par l'organisme, entraînant de ce fait une élévation du glucose plus lente. Si on imagine combien il est facile de digérer une soupe aux pois en purée, qui est déjà réduite en fines particules, il serait sensé de supposer que l'organisme n'a pas besoin de la décomposer pendant très longtemps avant qu'elle n'entre dans le sang sous forme de glucose. Imaginez maintenant le temps nécessaire pour digérer des pois entiers. L'organisme doit d'abord décomposer la peau des pois avant d'atteindre la pulpe, puis la réduire en bouillie afin qu'elle soit suffisamment fine pour pénétrer dans le sang. De ce fait, les pois entiers entraîneront une hausse plus lente du glucose sanguin qu'une soupe en purée. C'est le cas pour la plupart des aliments. Comparez de l'hoummos à un plat de pois chiches, une purée de pommes de terre à une pomme de terre en robe des champs et du pain ordinaire à du pain complet.

Tenez compte de l'aliment dans son entier

Il est important de savoir que tous les aliments à IG faible ou moyen ne sont pas recommandés pour la santé. L'ajout de matières grasses et de protéines, par exemple, ralentit l'absorption des glucides, abaissant l'IG des aliments, de sorte que le chocolat, par exemple, a un IG moyen à cause de son contenu en matières grasses. Les croustilles possèdent un IG plus faible que les pommes de terre cuites sans matières grasses. Le lait et les autres produits laitiers ont un IG faible à cause de leur contenu élevé en protéines et parce qu'ils contiennent des matières grasses. Donc, si vous ne choisissez que des aliments à IG faible, votre alimentation risque d'être déséquilibrée et riche en gras, ce qui pourrait entraîner une prise de poids et une augmentation des risques de cardiopathies. L'équilibre est donc la clé, et la bonne association des aliments non seulement vous assurera un meilleur contrôle de votre glycémie, mais vous aidera aussi à obtenir une grande variété de

ALIMENTS À FAIBLE IG	ALIMENTS À IG MOYEN	ALIMENTS À IG ÉLEVÉ
Muesli et porridge	Betteraves	Bagels
Pain multi-grain et de seigle	Riz basmati	Pain blanc et de blé entier
Pain aux fruits	Pommes de terre, bouillies	Biscuits à l'eau
Pâtes	Biscuits au beurre	Boissons à base de glucose
Fèves au four	Pain pita	Croustilles de maïs (tortillas)
Lentilles	Galettes de blé	Flocons de maïs
Pommes, oranges et poires	(p. ex. Weetabix)	Blé soufflé
Yogourt	Couscous	Riz soufflé
Maïs	Glace	Céréales pour déjeuner riches
Céréales de son (p. ex. All	Biscuits à thé	en sucre
Bran, Raisin Bran)	Miel	Boissons sportives
		Gaufres

nutriments nécessaires à une bonne santé.

Le tableau à la page 15 donne une comparaison des taux d'IG de divers aliments. L'IG d'un aliment vous donne seulement la rapidité à laquelle il élève le glucose sanguin lorsque l'aliment est consommé seul. Vous devez donc garder à l'esprit que nous consommons habituellement des combinaisons alimentaires : le pain est habituellement mangé avec du beurre ou de la margarine et les pommes de terre, avec de la viande et des légumes, etc. C'est pourquoi la réponse ne consiste pas à réduire la consommation des aliments à IG élevé, mais d'inclure davantage d'aliments à IG faible pour abaisser l'IG du repas en entier.

La vérité sur le sucre

Le sucre n'est que calories ; il n'apporte aucun bienfait en termes de vitamines, minéraux, protéines ou tout autre nutriment. Cependant, nous ne pouvons pas ignorer le fait que les aliments sucrés ont bon goût ! Donc, que vous

soyez diabétique ou non, le conseil est simple : appréciez une variété d'aliments, en mettant principalement l'accent sur les fruits, les légumes, les aliments amylacés, et limitez la quantité d'aliments gras et sucrés que vous consommez ; vous n'avez pas besoin de les éviter tous en même temps.

Autrefois, on croyait que les aliments sucrés causaient automatiquement une hausse du glucose sanguin et, de ce fait, il semblait sensé de les éviter si on était diabétique. Cependant, nous savons maintenant que les effets d'un aliment en particulier sur la glycémie ne dépend pas seulement de la quantité de sucre qu'il contient, mais aussi d'une série d'autres facteurs incluant les façons dont il a été cuisiné, servi.

Par exemple une boisson riche en sucre prise à jeun ou entre les repas entraînera une hausse rapide du glucose parce qu'elle est rapidement absorbée dans le sang. Cependant, si elle est prise avec des aliments, surtout à la fin d'un repas riche en fibres, la hausse se fera plus lentement, surtout si le repas contient des aliments à IG faible (voir

page 12). Donc, en résumé, les diabétiques peuvent ingérer de petites quantités de sucre si elles sont prises dans le cadre d'un plan d'alimentation sain et, idéalement, à la fin d'un repas.

Les desserts

Être diabétique ne signifie pas de ne plus manger de dessert. Plusieurs sucreries peuvent être incorporées à votre alimentation, surtout si vous choisissez des ingrédients appropriés. La crème légère, les préparations à dessert pauvres en gras, les fruits frais et séchés peuvent tous aider à diminuer les gras et le sucre que renferment les desserts traditionnels. Pour les préparer, même ceux qui sont pauvres en gras, utilisez du fromage frais sans gras ou du yogourt nature pauvre en gras. Privilégiez les fruits aussi souvent que possible ; consommez-en deux ou trois par jour.

Les édulcorants

Les édulcorants artificiels faits à partir d'aspartame, de saccharine et d'acésulfame de potassium ne contiennent pas de sucre et n'élèveront pas les taux de glycémie. Ils peuvent être utilisés pour sucrer les aliments, mais il est habituellement préférable de les ajouter après la cuisson ou lorsque les recettes ne doivent pas être chauffées, car ils ont parfois un arrière-goût amer lorsqu'ils sont chauffés à des températures élevées. Ce ne sont cependant pas de bons substituts au sucre en pâtisserie. Il s'agit de nouveau d'une affaire de choix personnel. Si vous préférez utiliser un édulcorant artificiel, vous pouvez le faire par exemple dans les céréales et les desserts. Cela vous donnera un aliment qui, à la fin, sera plus faible en sucre et en calories que si vous aviez utilisé du sucre. Cependant, si vous préférez utiliser un peu de sucre, assurez-vous que les autres aliments qui composent le repas sont sains en incluant, par exemple, des céréales pour le petit déjeuner riches en fibres (telles que le porridge), des haricots et des légumineuses dans votre repas principal et des fruits comme dessert.

Les matières grasses

Les conseils donnés au sujet des matières grasses peuvent souvent sembler surprenants. Si les gras sont si mauvais pour la santé, comment se fait-il que certains soient essentiels? Si les gras mous sont meilleurs que les gras durs comme le beurre, comment expliquer les mises en garde sur les gras trans dans la margarine? Si une cholestérolémie élevée est malsaine, comment se fait-il que les aliments contenant beaucoup de cholestérol ne sont pas nécessairement mauvais?

Que vous soyez diabétique ou non, un des conseils clés pour bien s'alimenter est de réduire votre consommation de matières grasses. Les gras saturés haussent le cholestérol. Une cholestérolémie élevée vous rend sujet à des troubles cardiaques. Puisque les diabétiques courent un risque élevé de développer des cardiopathies, il est particulièrement important de surveiller leur consommation de matières grasses.

Le cholestérol expliqué simplement

Le sang est amené au cœur par les artères coronaires. Lorsque vous vieillissez, ces artères rétrécissent, tout d'abord à cause du mode de vie occidental et aussi des habitudes alimentaires qui entraînent des accumulations de gras (athéromes) qui se déposeront sur les parois artérielles. Le gras durcit ensuite (athérosclérose), ce qui diminue le rythme de la circulation sanguine. Il semble aussi

Le saviez-vous?
▶ Le gras, à poids égal, fournit deux fois plus de calories que l'amidon ou que les protéines.
▶ Les aliments riches en gras on tendance à être élevés en calories et renferment aussi souvent beaucoup de sucre.
▶ Les gras essentiels sont nécessaires régulièrement en petites quantités parce qu'ils ne peuvent pas être fabriqués à partir d'autres aliments ni être synthétisés par l'organisme. Les gras oméga-3 et oméga-6, les acides gras essentiels, sont cruciaux pour une croissance et un développement normaux.
▶ Éviter les aliments gras est la façon la plus rapide de diminuer votre ingestion de calories, mais si vous n'en prenez pas

que le gras durci se détériore et que les globules sanguins forment un caillot en guise de protection. Un gros caillot peut bloquer l'artère, causant une crise cardiaque. Si votre cholestérolémie est élevée, vous serez plus à risque de développer de l'athérosclérose.

Les gras sont transportés dans le sang sous forme de lipides, qui sont véhiculés en minuscules particules appelées lipoprotéines. Même si un taux élevé de cholestérolémie augmente vos risques de faire un infarctus (crise cardiaque), en avoir un certain degré n'est pas dangereux. Souvent désignées sous le terme «bon» cholestérol, les lipoprotéines de haute densité (HDL) constituent le cholestérol qui est emporté des tissus corporels vers le foie. La plus grande partie de votre cholestérol est cependant transporté dans une lipoprotéine de faible densité (LDL) ou «mauvais» choles-

suffisamment, vous pourrez ressentir le besoin de vous précipiter dans une frénésie de gourmandise!
▶ Les gras agissent comme un transporteur important pour les vitamines liposolubles (A, D, E et K) dans le sang.
▶ Votre foie produit le cholestérol sans égard à celui que renferme votre alimentation.
▶ Le cholestérol dans les aliments a moins d'effet sur votre cholestérolémie que les graisses animales (gras saturés).
▶ Le ratio de gras dans votre alimentation aussi bien que la qualité de ceux-ci se sont avérés bénéfiques pour la santé en général (voir ci-dessus, Les différents gras).

térol. Un taux élevé de LDL peut augmenter votre risque d'avoir un infarctus, car il mène à la formation de dépôts gras dans les artères.

De ce fait, plus votre HDL est élevé, moins vous courez de risques d'avoir une cardiopathie.

Les différents gras

Les gras diffèrent d'après leur composition chimique. Les gras saturés sont associés à une hausse de la cholestérolémie et c'est pourquoi il est sage de les avoir à l'œil. Vous avez besoin d'un peu de gras, mais des experts recommandent qu'un maximum de 10 % des calories ingérées chaque jour proviennent de ce groupe. Le reste devrait provenir de gras monoinsaturés et polyinsaturés.

Autrement dit :
- Les gras saturés haussent le bon et le mauvais cholestérol sanguin (voir page 16). Ils peuvent aussi épaissir le sang, le rendant plus propice à la formation de caillots. Donc, réduisez la consommation de ces gras.
- Les gras polyinsaturés semblent abaisser le bon et le mauvais cholestérol. Les gras oméga-3 et oméga-6 sont des acides gras essentiels qui appartiennent à ce groupe. Les gras oméga-3 sont ceux qui devraient être consommés en plus grande quantité puisque nous obtenons déjà beaucoup de gras oméga-6 des margarines dures et molles.
- Les gras monoinsaturés abaissent le mauvais cholestérol et, croit-on, augmentent le bon cholestérol. Ce sont donc vos meilleurs alliés.
- Les gras trans sont habituellement des sous-produits de l'hydrogénation, un processus utilisé pour rendre les gras insaturés fermes et faciles à étendre. Des recherches ont démontré que, tout comme les gras saturés,

GRAS	SOURCES	RECOMMANDATIONS
Monoinsaturés	Huile d'olive, de colza, de noix, margarines molles à base de ces huiles.	Remplacer les gras saturés par ces produits lorsque c'est possible.
Gras polyinsaturés oméga-3	Huiles de poisson, de colza, d'olive, margarines molles à base d'huiles de poisson, graines de lin, fèves soja.	En manger davantage. Choisir une portion de poisson gras par semaine.
Gras polyinsaturés oméga-6	Margarines de soja, margarine molle à base d'huile de tournesol, graines de tournesol, fèves soja, huiles de carthame, de maïs et de pépins de raisin.	Remplacer les gras saturés par ces produits, mais avec modération.
Gras trans	Margarines molles hydrogénées, aliments préparés faits avec des gras trans.	Maintenir à un minimum, éliminer de l'alimentation lorsque c'est possible.
Gras saturés	Beurre, saindoux, suif, aliments préparés faits avec des gras saturés, viande grasse, peau de la volaille.	Éliminer.
Cholestérol	Œufs, coquillages, abats.	Manger en quantités raisonnables dans le cadre d'une alimentation pauvre en gras.

ils élèvent la cholestérolémie. Les gras trans se trouvent dans les aliments préparés comme les biscuits, les gâteaux et les pâtisseries (vérifier les emballages).
- Le cholestérol alimentaire a peu d'effet sur le cholestérol sanguin (voir Le saviez-vous ?, page 16). Une alimentation pauvre en gras contiendra généralement peu de cholestérol, donc vous n'avez pas à surveiller à outrance les taux de cholestérol dans les aliments (à moins que vous n'ayez des problèmes

sanguins qui requièrent des modifications spécifiques dans le cholestérol alimentaire).

Réduire la consommation de gras

Utilisez des huiles de cuisson en vaporisateur, qui sont souvent un mélange d'huile et d'eau (1 part d'huile pour 7 parts d'eau, ou utilisez une bruine d'huile d'olive ou de colza) ou une petite quantité de beurre. Privilégiez les produits laitiers pauvres en gras tels que le lait semi-écrémé ou écrémé, le fromage semi-écrémé et

le yogourt pauvre en gras. Faites vos sauces à salade avec du yogourt nature pauvre en gras et du jus de citron ou achetez des sauces sans gras.

Les protéines

Une déficience en protéines est extrêmement rare chez les Occidentaux, car ils en consomment plus qu'il n'en faut. Ce surplus de protéines s'expliquerait par la taille des portions, surtout de viande et de produits laitiers. Une trop grande quantité de protéines peut créer une tension sur les reins et entraîner des pro-blèmes, car ces organes doivent lutter pour se débarrasser de l'excédent. Puisque les diabétiques courent plus de risques de développer des problèmes rénaux (néphropathies), ils doivent consommer des quantités raisonnables de protéines et éviter d'en prendre plus que la moyenne. Cela est particulièrement important s'ils souffrent en plus d'hypertension, qui pourrait augmenter la probabilité de dommages.

Si vous souffrez déjà de troubles rénaux, vous devrez peut-être limiter davantage l'ingestion de protéines et demander l'avis d'un spécialiste en nutrition.

Quels sont les meilleurs aliments protéinés ?

Ce sont les sources végétales (p. ex. les fèves, les légumineuses, les noix) et les sources animales (p. ex. la viande, les produits laitiers). En dehors des viandes maigres, des poissons et des produits laitiers pauvres en gras, les sources animales tendent à être plus élevées en gras saturés. Des études ont prouvé que la cholestérolémie et la tension sanguine étaient plus basses et que le contrôle des taux de sucre dans le sang se faisait plus facilement chez les diabétiques qui avaient une alimentation principalement à base de végétaux plutôt qu'une alimentation de source animale. Variez vos repas afin d'y inclure souvent une bonne variété d'aliments végétariens.

Toutes les protéines sont fabriquées à partir d'éléments structuraux appelés acides aminés, dont certains sont essentiels à l'organisme. Les protéines végétales ont tendance à manquer d'un ou de plusieurs acides aminés essentiels, mais en les combinant vous pourriez atteindre un bon équilibre. Bien des plats végétariens

Combiner les protéines végétales

GROUPE D'ALIMENTS COMBINÉS	ALIMENTS	EXEMPLE DE PLAT
Céréales et légumineuses	Blé et fèves	Fèves au four sur rôtie Bruschetta avec purée de haricots blancs et champignons crus (page 78)
	Riz et légumineuses	Pilaf de pois au safran (page 100), Chili aux légumes
	Riz ou nouilles et fèves soja	Tofu sauté
	Blé et lentilles	Soupe de lentilles et pain
	Riz et lentilles	Galettes végétariennes et riz
	Maïs et haricots	Tortillas et haricots frits
Céréales et noix	Blé et arachides	Sandwich au beurre d'arachide
	Blé et noix	Noix rôties avec chapelure Salade de chicorée avec noix et croûtons (page 65)
Légumineuses et graines	Pois chiches et pâte de graines de sésame	Hoummos

sont basés sur ce principe. Le tableau de la page 18 offre des conseils sur la façon de combiner les aliments végétariens protéinés pour obtenir le meilleur mélange.

Les fruits et les légumes

Ces aliments renferment des vitamines importantes que vous soyez diabétique ou non. Une alimentation riche en fruits et en légumes fournira plus de fibres, surtout des fibres solubles, et plus de vitamines antioxydantes, tout en étant plus pauvre en gras. Les vitamines antioxydantes, le bêta-carotène (qui est converti en vitamine A dans l'organisme) ainsi que les vitamines E et C ont été reliés à une plus faible incidence de cardiopathies, de certains cancers et de problèmes intestinaux.

Il est recommandé de prendre cinq portions de fruits et de légumes par jour. Choisissez-les de couleur variée, faites-les cuire brièvement et servez-les entiers plutôt qu'en purée.

Quelle quantité consommer ?

Pour être en bonne santé, vous devriez consommer 400 g (14 oz) de fruits et de légumes, ou environ cinq portions de 80 g (3 oz) par jour. Les pommes de terre font partie des glucides amylacés, donc elles ne comptent pas.

Qu'est-ce qui constitue une portion ?

▸ Pomme, poire, orange, banane de taille moyenne
▸ Une grosse tranche de melon ou d'ananas
▸ Une tasse de fraises ou de raisins
▸ 7 à 15 ml (½ à 1 c. à soupe) de fruits séchés
▸ 1 petit verre de jus de fruits frais
▸ 30 ml (2 c. à soupe) de légumes cuits
▸ 1 petite portion de salade de légumes,

p. ex. une carotte, une tomate ou un petit bol de salade mixte
▸ 30 ml (2 c. à soupe) de légumes en conserve, p. ex. maïs, haricots au four

Qu'en est-il des jus et des fruits séchés ?

Comme vous pouvez le voir d'après la liste, les fruits séchés et les jus de fruits frais comptent. Cependant, il est préférable de prendre une seule portion de jus par jour, car les fibres utiles en ont été éliminées.

En ce qui concerne les diabétiques, boire

de grandes quantités de jus, même s'ils ne sont pas sucrés, peut hausser rapidement leur taux de glucose parce que le sucre naturel sous forme liquide est rapidement absorbé par l'organisme. Si vous aimez les jus de fruits frais, prenez-les avec un repas plutôt que seuls. Ou encore choisissez une boisson sans sucre ou une boisson hypocalorique.

Les légumineuses, telles que les haricots secs et les lentilles, sont bonnes parce qu'elles sont riches en fibres solubles qui aident à contrôler les taux de glycémie (voir page 13). Elles ne peuvent cependant compter que pour une portion par jour parce qu'elles ne contiennent pas la diversité de nutriments que vous obtenez d'autres sources alimentaires telles que les légumes verts à feuilles, les carottes et les tomates.

Les antioxydants

Ces substances très recherchées se trouvent naturellement dans les fruits et les légumes. Elles comprennent des vitamines essentielles telles que les vitamines A, C et E ainsi que du lycopène (concentré dans les tomates), des flavonoïdes (dans le thé) et du sélénium.

On pense que les antioxydants ont un effet protecteur parce qu'ils éliminent les radicaux libres présents dans l'organisme qui peuvent être responsables de certains problèmes associés aux cardiopathies et au cancer.

Les radicaux libres sont des sous-produits des processus normaux de l'organisme, mais le tabagisme, les rayons ultraviolets, la maladie et la pollution augmentent leur production.

Le lycopène, qui est concentré dans les tomates, devient plus efficace lorsque les tomates sont préparées industriellement. Donc, un plat de pâtes avec une sauce préparée avec des tomates en conserve peut sembler être une tricherie du point de vue culinaire, mais il vous assurera un repas rempli de bienfaits cachés.

Qu'en est-il des suppléments ?

Les légumes aux couleurs vives, rouges, jaunes et orange, sont particulièrement riches en antioxydants, surtout en bêta-carotène. Fortement anticancérogènes, ces phytochimiques sont présents dans les fruits et les légumes frais en quantités et en combinaisons prévues par Dame Nature. Donc, prendre des suppléments d'un ou de deux d'entre eux n'a rien à voir avec la consommation d'aliments frais.

La viande, le poisson, les noix, les légumineuses et les œufs

Ces aliments sont riches en protéines et plusieurs sont de bonnes sources de vitamines et de minéraux tels que le fer et le zinc. La viande pouvant cependant être riche en gras saturés, il est donc préférable de choisir des coupes maigres et de minimiser l'utilisation d'huile dans la cuisson. Voir « Réduire la consommation de gras » à la page 17 pour des conseils sur des choix faibles en gras.

Les plats de viande peuvent être préparés de façon plus saine en ajoutant des haricots ou des légumes. Le repas sera plus riche en fibres, plus rassasiant et contiendra généralement moins de calories par portion.

Le sel et l'hypertension

Une tension sanguine élevée vous rend plus sujet à des affections cardiaques. Comme une trop grande consommation de sel est reliée à

l'hypertension, le fait d'en prendre moins peut avoir un effet protecteur. Le sel est le nom commun du chlorure de sodium et c'est l'élément sodium du sel qui est nuisible s'il est pris avec excès. La plupart du sel ingéré provient des aliments manufacturés et il est probable que vous en consommiez de grandes quantités chaque jour, surtout si vous êtes amateur de repas préparés et de goûters. Il est recommandé de prendre chaque jour un total de 6 g de sel ou juste un peu plus de 5 ml (1c. à thé) incluant les aliments préparés, ce qui est l'équivalent de 2,5 g de sodium.

Le sel avec modération

▶ Mesurer la quantité de sel ajouté pendant la cuisson et réduire progressivement cette quantité jusqu'à ce que la recette concoctée pour quatre personnes en contienne environ 2 ml (1/2 c. à thé).

▶ Éviter d'ajouter du sel à table.

▶ Cuisiner avec des fines herbes et des épices, par exemple des épices fraîchement moulues, des fines herbes fraîches ou séchées, du paprika, du poivre noir fraîchement moulu. S'il est trop difficile de s'habituer à une saveur moins salée, utiliser un substitut. Les produits faibles en sel (tels que les légumes dans l'eau en conserve, le beurre doux) peuvent servir de substituts.

▶ Pour varier les saveurs, utiliser du jus de lime, du vinaigre balsamique et de la sauce chili.

▶ Lire soigneusement les étiquettes. Le sel peut se trouver sous forme de sodium, de chlorure de sodium, de glutamate de sodium ou de bicarbonate de soude. Multiplier la quantité de sodium par 2,5 pour obtenir le contenu en sel.

▶ Réduire la consommation des aliments salés tels que les croustilles et les noix salées, les biscuits salés et les pâtisseries.

▶ Les aliments salés et fumés tels que le bacon, les saucisses, le poisson fumé, certains poissons en conserve et d'autres aliments préparés contiennent souvent beaucoup de sel. Lorsque c'est possible, préférez-leur des aliments frais ; ils ne contiennent qu'une petite quantité de sel.

Les substituts du sel

Si vous devez réduire votre consommation de sel, vos papilles gustatives s'adapteront et vous commencerez à préférer le goût des aliments moins salés. Si vous avez toujours envie d'un goût de sel cependant, un substitut du sel est une façon pratique et utile de réduire votre consommation de sel. Lisez l'étiquette – certaines grandes marques offrent jusqu'à deux tiers de moins de sodium que le sel ordinaire et vous pouvez utiliser ces sels dans la cuisson et à table. Toutefois, ils ne sont pas recommandés pour les gens qui souffrent de problèmes rénaux, car ils contiennent du potassium qui peut avoir un effet nuisible sur les maladies rénales.

L'alcool

Si vous êtes diabétique, il n'y a aucune raison de ne pas apprécier une boisson alcoolisée à moins, bien entendu, qu'on ne vous ait demandé d'éviter de prendre de l'alcool pour d'autres raisons médicales.

Respectez la limite saine : entre 21 et 28 doses par semaine pour un homme (ou 3 à 4 doses par jour) et entre 14 et 21 doses par semaine pour les femmes (ou 2 à 3 doses par jour). Notez que ce sont les doses maximales re-

commandées et qu'il est préférable de moins en boire.

Boire sainement

L'alcool peut entraîner de l'hypoglycémie (faible taux de glucose dans le sang, voir page 8) si vous prenez de l'insuline ou certains comprimés pour diabétiques, et plus la teneur en alcool est élevée (comme dans les spiritueux) plus les risques d'hypoglycémie sont grands. Voici quelques conseils préventifs :

▶ Éviter de boire à jeun. Toujours avoir quelque chose à manger lorsqu'on boit, surtout si, ensuite, on sort dans un bar. Les effets de l'alcool sur l'hypoglycémie peuvent durer pendant plusieurs heures.

▶ Choisir des boissons faibles en alcool ; éviter les bières ou les lagers spéciales pour diabétiques, car le taux d'alcool est plus élevé.

▶ Si on aime les spiritueux, prendre des mélanges sans sucre.

▶ Si on compte la quantité de glucides ingérés, ne pas inclure ceux des boissons alcoolisées.

▶ Boire moins si on désire perdre du poids et ne pas consommer plus de 7 doses d'alcool par semaine.

1 dose d'alcool équivaut à :

▶ 300 ml (1 ¼ tasse) de bière

▶ 1 mesure de xérès, d'apéritif ou de liqueur de 50 ml (2 oz)

▶ 1 verre normal de vin de 125 ml (½ tasse)

▶ 1 mesure de spiritueux de 25 ml (1 oz)

Les tout derniers développements

Malgré le fait que toutes sortes de nouvelles informations sont véhiculées sur le diabète, vous pourriez trouver que votre traitement ne change pas si les nouveaux conseils alimentaires ne vous conviennent pas. Dans cette section, nous abordons les tout derniers développements sur le diabète en matière d'alimentation, afin que vous puissiez être mieux informé.

DAFNE (L'ajustement des doses pour un programme d'alimentation normale)

Le DAFNE est un programme éducatif pour les diabétiques qui sont traités à l'insuline. Développé en Allemagne en 1987, il a grandement aidé les diabétiques à améliorer leur condition et est présentement utilisé dans plusieurs pays d'Europe.

Dans le cadre de ce programme, les diabétiques assistent à un cours intensif de cinq jours en petits groupes. On les encourage à choisir librement ce qu'ils aimeraient manger, puis on leur enseigne à évaluer la teneur en glucides pour la quantité et le type d'aliments et de boissons qu'ils ont choisis. Ils ajustent ensuite leur dose d'insuline à chaque repas. En fait, ils apprennent comment adapter leur insuline en fonction de leur mode de vie et non l'inverse.

Des rapports initiaux tant du Royaume-Uni que d'Allemagne ont relaté que pour les adultes dont le diabète est peu ou moyennement contrôlé, une formation en DAFNE semblait améliorer les taux de glucose sanguin par comparaison avec les soins normaux. Les études ont aussi démontré une réduction dans la fréquence de l'hypoglycémie.

Les restrictions alimentaires généralement imposées aux gens qui souffrent d'un diabète de type 1 affectent leur qualité de vie. Les gens qui suivent le programme DAFNE, dans les pays où il est accessible, affirment qu'ils apprécient énormément la flexibilité et la liberté de manger ce qu'ils aiment et quand ils le veulent. De plus, on a noté que ce programme améliorait l'estime de soi. Dans le DAFNE, les participants apprennent les uns des autres aussi bien que des animateurs-formateurs et, pour plusieurs, c'est la première fois qu'ils ont une occasion de se concentrer concrètement sur la gestion de leur diabète.

Certaines personnes ont cependant de la difficulté à gérer le calcul complexe des glucides et à saisir les principes impliqués. Dans quelques cas, il est aussi nécessaire d'augmenter le nombre d'injections d'insuline à deux doses d'insuline à action moyenne/prolongée au début et à la fin de la journée, et une autre dose à chaque repas ou goûter. De plus, on recommande de faire un suivi du glucose sanguin très sérieux, ce qui peut parfois être un inconvénient.

Ce cours demande un engagement considérable non seulement de la part du participant mais aussi de la part de l'animateur-formateur. La participation requiert beaucoup de disponibilité en dehors des activités quotidiennes.

Le DAFNE a aussi été testé auprès de gens atteints de diabète de type 2 soignés par insuline en Allemagne, mais les résultats n'ont pas encore été entièrement évalués.

L'acide folique et le cœur

L'acide folique (parfois appelé folate) est une vitamine B hydrosoluble. Ces dernières années, il y a eu un intérêt accru pour cette vitamine, car on a découvert qu'elle aidait à prévenir des malformations du tube neural, comme le spina bifida chez les bébés. C'est pour cette raison qu'on recommande aux femmes qui tentent d'être enceintes et pendant les 12 premières semaines de grossesse de prendre des suppléments d'acide folique de 400 mcg par jour.

Saviez-vous que, de plus, l'acide folique peut aider à réduire les risques de cardiopathies, une complication fréquente du diabète? Il aide à diminuer les taux d'une substance dans le sang connue sous le nom d'homocystéine. Des taux élevés d'homocystéine sont un facteur de risque pour le développement de cardiopathies, d'accidents vasculaires cérébraux et de maladies vasculaires périphériques.

Les sources d'acide folique

L'acide folique se trouve naturellement dans plusieurs aliments comprenant les fruits (surtout les oranges et le jus d'orange), les légumes (à feuilles foncées comme le brocoli, les choux de Bruxelles et les épinards), les pommes de terre, les haricots, les légumineuses, les céréales entières, le lait et le yogourt. Il est aussi ajouté à beaucoup d'aliments à base de céréales raffinés et de pains à grains tendres (vérifier sur les étiquettes), ce qui est une autre bonne raison pour que les diabétiques privilégient ces aliments.

Le chrome et le diabète

Le chrome est un oligoélément nécessaire à l'organisme en très petites quantités. Il aide au maintien de taux de sucre normaux dans le sang, principalement en augmentant l'action

de l'insuline. Il semble aussi jouer un rôle dans le maintien des taux de cholestérol sains et dans le contrôle du poids.

Les gens qui ont une déficience en chrome peuvent développer une intolérance au glucose (voir page 9), qui sera améliorée par des suppléments de chrome. Cependant, le chrome se trouve naturellement dans une grande variété d'aliments et la plupart des gens qui souffrent d'un diabète de type 2 ne semblent pas avoir de déficience en chrome, tout comme ils ne semblent pas être plus à risque de développer une déficience. Cela a néanmoins amené les chercheurs à se demander si des suppléments pouvaient être bénéfiques pour les diabétiques.

Des études ont été menées en utilisant des doses élevées de chrome à un niveau de loin supérieur à celui qu'on pourrait obtenir à partir de l'alimentation seulement. Peu de ces études sont bien conçues et contrôlées et les résultats sont quelque peu mitigés. Certaines études, surtout chez les diabétiques de type 2 vivant en Chine, ont démontré que de très fortes doses de chrome entraînent une amélioration du contrôle du sucre dans le sang. On ne sait cependant pas si ces découvertes pourraient s'appliquer à d'autres pays.

Bien d'autres recherches n'ont démontré aucun bénéfice ou n'ont pas été concluantes. Une recherche a été menée au Royaume-Uni sur des doses modérées de chrome comme celles qui pourraient être obtenues de l'alimentation, mais elles n'ont démontré aucun bienfait pour une tolérance au glucose ou des taux de gras dans le sang chez les adultes atteints de diabète de type 2.

D'autres recherches sont nécessaires afin de clarifier le rôle du chrome. Pour le moment, la plupart des organismes mondiaux sur le diabète ne recommandent pas de suppléments. En règle générale, ils suggèrent que le chrome soit administré comme supplément seulement lorsqu'une déficience très nette a été diagnostiquée. Autrement, les gens souffrant de diabète de type 2 devraient avoir une alimentation saine et variée incluant des sources connues de chrome (voir le tableau ci-contre) afin d'éliminer les risques d'une déficience.

Sources de chrome

SOURCES ANIMALES	SOURCES VÉGÉTALES
Viande maigre	Céréales entières
Abats, surtout le foie	Levure de bière
Huîtres	Noix et graines
	Légumes et légumineuses

Conseils culinaires pour diabétiques

Toutes les recettes contenues dans cet ouvrage sont conformes à des principes d'alimentation saine et elles font habituellement appel à des ingrédients pauvres en gras et à faible indice glycémique, comme il se doit. Vous verrez parfois que certains plats peuvent sembler ne pas convenir aux diabétiques, mais nous voulons dissiper le mythe que les gens qui souffrent de diabète ont besoin d'une diète particulière. Tous vos aliments préférés peuvent être incorporés sainement dans l'alimentation; l'important est d'avoir la bonne combinaison et de la variété. Les desserts tentants et les plats principaux cuits dans des sauces à la crème peuvent sembler inaccessibles, mais ces recettes ont été créées en fonction du diabète, avec des ingrédients comme des viandes maigres, du fromage frais, de la crème légère, du yogourt grec pauvre en gras et du lait écrémé. Les plats de style asiatique sont servis avec du riz vapeur plutôt qu'avec du riz frit et, dans certaines recettes, le gras a été éliminé de la viande après la cuisson, comme pour le Porc bouilli avec salsa verde (page 120), de sorte que le contenu en gras sera plus faible que l'analyse des recettes qui est donnée.

Conseils pour la cuisson

▶ Choisir des coupes maigres de viande et retirer le gras visible. Faire griller, rôtir ou braiser la viande sans ajouter de gras. Éviter d'utiliser les jus de viande pour la sauce.

▶ Enlever la peau de la volaille et se souvenir que les ailes et les cuisses sont plus grasses.

▶ Faire griller les côtelettes, les saucisses et les hamburgers et laisser le gras s'écouler.

▶ Pour faire frire les aliments, utiliser de l'huile pour cuisson en vaporisateur et une casserole antiadhésive.

▶ Utiliser des aliments contenant des glucides complexes tels que le pain, les céréales, les pâtes et les pommes de terre. Surveiller la quantité de gras qu'on met dessus; choisir des margarines molles et des produits laitiers pauvres en gras.

▶ Ne pas oublier le &must& méditerranéen (voir page 10): l'ail, les fruits, les légumes, le poisson, les noix, les haricots et les légumineuses.

▶ Choisir des aliments à indice glycémique bas (IG; voir page 12). Les aliments riches en fibres solubles tels que le seigle, les grains complets et le pain blanc de blé tendre, les pois, le maïs, les haricots, les lentilles, les agrumes et l'avoine ont tous un faible indice glycémique. Les légumineuses telles que les haricots, le maïs, les pois et les lentilles sont généralement pauvres en gras et en calories et sont rassasiantes.

▶ Inclure beaucoup de poisson et consommer une fois par semaine des poissons gras tels que saumon, hareng et maquereau. Choisir du thon en conserve en saumure plutôt qu'en huile, égoutté.

▶ Les noix, bien que riches en gras, doivent faire partie d'un mode de vie sain. Des recherches ont démontré qu'une poignée d'arachides ou d'amandes pouvaient aider à réduire les risques de cardiopathies. Les noix sont meilleures si elles sont utilisées comme ingrédient d'un repas principal plutôt que comme goûter, surtout si vous avez un surplus de poids.

À ÉVITER	À PRIVILÉGIER
Pain beurré	Pain trempé dans l'huile d'olive et le vinaigre balsamique
Cheddar	Brie ou fromage pauvre en gras
Desserts riches	Poudings aux fruits
Gâteaux riches	Scones, pains aux fruits, génoise
Viande grasse	Viande maigre, volaille sans la peau, poisson
Pâte feuilletée	Pâte filo badigeonnée de lait écrémé entre les couches
Mayonnaise	Mayonnaise hypocalorique ou sauces sans gras
Produits laitiers entiers, p. ex. lait entier, fromage, beurre	Aliments pauvres en gras, p. ex. lait semi-écrémé, fromage semi-écrémé, margarines molles faibles en gras
Huile de cuisson	Huile en vaporisateur pour graisser et frire, un peu d'huile d'olive ou de colza pour faire revenir ou sauter, etc.
Croustilles et goûters salés	Maïs soufflé maison, toasts Melba, bretzels, gressins
Frites ou pommes de terre en purée	Pommes de terre entières bouillies avec la peau

Manger à l'extérieur

Avec la vie effrénée que nous menons, il est de plus en plus fréquent de prendre des repas à l'extérieur et il peut souvent être bien difficile de garder un œil sur les gras et d'évaluer le contenu de ce qu'on mange. De plus, la restauration rapide n'est pas nécessairement bonne pour la santé et la commodité prend souvent le pas sur la santé. Quels sont donc les meilleurs choix que vous puissiez faire pour vous adapter au mode de vie chaotique des temps modernes ?

Les restaurants indiens

Optez pour des plats au poulet, aux crevettes ou aux légumes plutôt que pour des plats à l'agneau ou au bœuf qui ont tendance à être plus riches en gras. Le poulet tandoori avec du riz bouilli nature et un peu de raita au concombre est un excellent choix. Les tikkas ou une petite brochette grillée font de bonnes entrées. Préférez les dhal (lentilles) aux caris aux légumes ; ils ont tendance à être moins gras. Le riz pilau est un riz frit, dont les grains sont souvent colorés ; commandez du riz bouilli pour maintenir un faible taux de calories. Le riz basmati a aussi un faible IG (voir page 12).

Demandez que vos poppadams soient grillés ou cuits au micro-onde et que les chapatis ou les pains naan soient servis nature.

Certains restaurateurs comparent le fromage indien panir au cottage, mais en fait il est à base de lait entier.

La restauration rapide

Les frites épaisses absorbent moins de gras que les minces qui ont une surface plus grande, mais évitez les grosses portions. Si vous avez vraiment faim, partagez une petite portion de frites sans rien y ajouter. Cela permettra de vous rassasier tout en réduisant la quantité d'huile absorbée.

Apportez les frites chez vous et déposez-les sur du papier absorbant ou mettez-les sur du papier absorbant et réchauffez-les au micro-onde pendant quelques secondes ; le gras sera ainsi absorbé. Retirez la panure du poulet ou encore déposez le poulet dans une assiette, la peau vers le bas, et ne mangez que la croûte du dessus et la chair et laissez la peau.

Pour une option plus saine, choisissez du poulet grillé avec une sauce aux tomates, un petit pain et une petite salade.

Les hamburgers

Le contenu en gras des gros hamburgers classiques varie, car ils sont souvent frits. Garnissez-les d'une sauce et de fromage et les calories viennent de grimper. À l'occasion, vous pouvez en manger, mais éliminez les frites et les boissons gazeuses. La version végétarienne n'est pas nécessairement meilleure, puisque le végéburger est habituellement cuit dans du gras et servi avec une sauce à la crème.

Choisissez des frites épaisses lorsque c'est possible et demandez une portion normale au lieu d'une grosse, ce qui éliminera la moitié des calories.

Demandez des boissons hypocaloriques qui contiennent environ 50 ml (10 c. à thé) de moins de sucre que les normales, et ne mettez ni sauce ni fromage ; vous pourrez faire la différence au niveau du contenu en gras. Le ketchup est préférable aux sauces crémeuses.

Finalement, mangez une pomme ou une banane avant de prendre un hamburger pour éviter d'être tenté par une portion plus grosse !

Les restaurants grecs

Commandez du poisson grillé, de l'agneau maigre grillé ou une brochette. Les plats grecs traditionnels tels que la moussaka, le taramasalata et l'hoummos sont riches en gras et en calories. Préférez-leur du tzatziki, un mélange pauvre en gras de yogourt, de concombre et d'ail, avec un petit morceau de pain pita. La salade grecque, sans sauce et sans feta, peut aussi être très satisfaisante. Mélangez-la avec un peu de jus de lime frais et de poivre noir grossièrement moulu.

Les falafels, une option végétarienne, sont habituellement cuits en grande friture et, de ce fait, ne sont pas nécessairement faibles en calories. N'en prenez que quelques-uns, et farcissez un pain pita d'un peu de tzatziki et de beaucoup de salade.

Les restaurants chinois

Un piège fréquent lorsqu'on fréquente les restaurants chinois, indiens et thaïlandais est de commander des plats en groupe. Préparez-vous une assiettée au début du repas et tenez-vous-en à cela. Consommez beaucoup de salade et de légumes, car ils vous aideront à vous rassasier.

Commandez du riz bouilli nature ou des nouilles plutôt que les spécialités frites. Les nouilles tendres avec des légumes (telles que dans un chow mein) sont préférables aux nouilles frites. Choisissez des plats à la vapeur, comme un poisson au gingembre à la vapeur, des légumes et du riz à la vapeur. Privilégiez des entrées saines comme des satés accompagnés d'une sauce au chili et terminez par des fruits frais ou une boule de glace plutôt que par des beignets frits.

Les pâtes et les pizzas

Souvenez-vous que les pâtes ont un faible IG (voir page 12), donc mangez-en souvent. Demandez une sauce aux tomates fraîches, qui a tendance à être plus faible en gras que les sauces à la crème, et n'ajoutez pas de parmesan. Même la pizza la plus petite et la plus mince qui soit renferme autour de 500 kcal, donc choisissez une croûte très mince et une garniture avec beaucoup de légumes. Évitez le supplément de fromage, le pepperoni et les croûtes épaisses.

La nourriture végétarienne

On pense souvent que les aliments végétariens sont plus sains, mais ce n'est pas toujours le cas. Les plats qui sont à base d'œufs et de fromage peuvent être riches en gras. Le cheddar, par exemple, contient environ 30 % de matières grasses, dont la plupart sont des gras saturés. Et ne vous laissez pas berner en pensant que tous les aliments achetés dans une épicerie d'alimentation naturelle sont bons pour vous. Plusieurs peuvent être riches en gras et en sucre et même s'ils sont faits avec de la farine entière, ils ne sont pas nécessairement sains.

Si vous êtes végétarien, les légumineuses telles que les haricots et les lentilles fournissent de bonnes sources de protéines et ont un faible IG (voir page 12). Consommez-les avec un aliment amylacé, comme du riz et des pâtes, pour obtenir des repas parfaitement équilibrés (voir le tableau de la page 18).

Faire l'épicerie

Comme nous l'avons vu, le diabète est une question d'habitudes alimentaires précises et variées, et non d'acheter des aliments sains spécialisés. Imaginez-vous que votre panier d'épicerie est divisé en tiers. Un tiers devrait être pour les fruits et les légumes, un autre pour le pain, les autres céréales et les pommes de terre et le dernier devrait contenir des quantités égales de viande et de poisson, de lait et de produits laitiers et même des aliments moins gras et moins sucrés. Consacrez donc plus de temps à chercher divers fruits et légumes et des céréales contenant de l'amidon et moins de temps pour les aliments à grignoter plus riches. Cela vous aidera à faire des choix sains et à varier davantage votre alimentation. Certaines personnes trouvent que de faire leurs courses sur Internet les empêche d'acheter des aliments moins sains, car elles ne sont pas tentées par les odeurs.

Qu'en est-il des aliments préparés ?

Nous sommes tous tentés, de temps à autre, par les nombreux aliments préparés en vente sur le marché, qu'il s'agisse de repas, de sauces pour les pâtes ou de desserts. Peuvent-ils vraiment faire partie d'une alimentation saine ? Est-ce possible de faire des associations pour les rendre sains ?

De nouveau, tout est sujet d'équilibre et de modération. Plusieurs seront plus faibles en glucides amylacés et en fibres que les versions maison. Si tel est le cas, vous pouvez les compléter avec du pain de grains entiers ou une pomme de terre en robe des champs. Une autre bonne habitude à prendre est de les servir avec des légumes ou de la salade.

Vous pouvez craindre que les aliments rapides ou préparés soient riches en gras, en sucre et en sel, car ce sont des moyens faciles d'ajouter de la saveur pour les manufacturiers. Comment savoir ? Parfois il est plus facile de rechercher le logo «santé» apposé par tous les grands supermarchés, mais vous devriez aussi prendre le soin de lire les étiquettes qui arborent la notion «santé» sur les desserts et les gâteaux, car ils peuvent contenir moins de gras, mais plus de sucre, ce qui ne signifie pas nécessairement qu'ils sont plus faibles en calories.

Les étiquettes

On trouve sur les étiquettes de plusieurs aliments des indications nutritionnelles, mais des recherches ont démontré que les consommateurs doutent beaucoup de leur utilité. D'après les lois établies par les autorités de chaque pays, les produits doivent respecter des conditions particulières afin de prétendre être nutritifs. De telles indications peuvent représenter un choix plus sain, mais gardez à l'esprit que tout cela est relatif, car la version pauvre en gras d'un aliment habituellement riche en gras pourrait tout de même être une source de gras élevé.

Par le passé, les manufacturiers ont parfois ajouté à la confusion en indiquant «contient moins de gras», mais un aliment ayant «85 % de moins de gras» en contiendra toujours 15 %. De nos jours, cette façon controversée de faire les choses a été contrôlée à l'exception de la prétention raisonnable «97 % moins de gras» sur certains produits qui ne contiennent donc que 3 % de gras.

Guide des indications nutritives fréquentes

ALLÉGATIONS NUTRITIVES	EXEMPLE
Pauvre en sucre Léger À faible teneur en	Crème anglaise sans sucre Pouding léger Aliments pauvres en sel
Réduit en sucre Réduit en gras Réduit en sel	Confitures réduites en sucre Margarines molles réduites en gras Haricots au four réduits en sel
Sans sucre	Gelées sans sucre Boissons sans sucre Boissons gazeuses sans sucre
Sans ajout de sucre/non sucré	Jus de fruits non sucrés

Comprendre l'information nutritionnelle sur les étiquettes

Même si la liste des ingrédients vous informe de la composition d'un aliment, elle ne vous dit pas en quelles proportions ils sont présents. Les ingrédients sont listés par ordre décroissant de poids, donc le premier ingrédient sera présent en plus grande quantité et le dernier, en plus petite quantité. Cela peut être utile jusqu'à un certain point, mais le contenu nutritionnel réel est beaucoup plus pertinent. Même si le sucre figure parmi les premiers ingrédients sur la liste, cela ne veut pas nécessairement dire que l'aliment en question contient beaucoup de sucre. (Souvenez-vous aussi que le sucre existe sous différents aspects, tels que sucrose, dextrose, glucose, sirop, maltose, etc. ; voir le tableau à la page 12.)

Le guide des quantités quotidiennes de nutriments pour adultes listé sur les étiquettes d'aliments fournit l'information sur le contenu en nutriments moyen recommandé dans une alimentation saine pour un adulte de poids normal. Les besoins exacts varieront entre les individus selon l'âge, le poids et le degré d'activité physique. Néanmoins, le guide peut vous aider à voir comment un aliment en particulier peut être inclus dans votre alimentation et s'il peut l'être.

Comment comparer les aliments ?

L'information nutritionnelle peut être utilisée pour savoir si les aliments contiennent peu ou beaucoup des nutriments listés. Le tableau ci-dessous fournit les grandes lignes pour vous aider à le déterminer.

Lorsque vous regardez les étiquettes sur les aliments, il est bon de vous entraîner à considérer combien de fois et en quelles quantités vous consommeriez normalement cet aliment. Un aliment peut être riche en gras ou en sucre, mais si vous n'en mangez que de petites quantités de temps à autre, c'est acceptable. Pour de tels aliments, vous devriez tenir compte de la valeur «pour 100 g» ; c'est aussi utile pour comparer deux produits, tels que les sauces préparées, pour voir lequel est le plus sain. Pour les aliments que vous consommez plus souvent ou en plus grande quantité, il est préférable d'utiliser la valeur «par portion».

Conseils pour faire des achats sains

▶ Surveiller les portions plus grosses des repas préparés et des goûters comme les sandwiches, les croustilles et les tablettes de chocolat. Passer d'un sac normal de croustilles à un grand sac entraînera sur un an un gain de poids de 6 kg (13 lb) sans apporter aucun avantage.

▶ Les aliments en conserve tels que les fruits, les légumes, les légumineuses et le poisson peuvent être utiles. Rechercher les étiquettes indiquant «réduit» ou «sans sucre ou sel ajoutés».

▶ Ne pas oublier les aliments séchés et surgelés, souvent tout aussi nutritifs et plus pratiques.

▶ Éviter de faire les courses lorsqu'on a faim. Les faire après un repas, préparer une liste et s'en tenir à cette liste.

▶ Éviter les aliments tels que les biscuits et les chocolats étiquetés «conviennent aux diabétiques». Ils sont habituellement coûteux et apportent des bienfaits nutritionnels limités. Puisqu'ils ne formeront probablement pas la principale partie de l'alimentation, il est préférable de prendre une petite quantité d'un produit standard.

▶ Beaucoup de supermarchés fournissent des feuillets pour diabétiques afin de les aider à faire de meilleurs choix. Certains organisent même des «visites de magasin» avec des diététistes. Les consommateurs trouvent qu'il s'agit d'une façon agréable de s'informer et de voir leur magasin sous un angle nouveau. Pourquoi ne pas suggérer au propriétaire d'une épicerie d'adopter cette méthode ?

Guide des quantités de nutriments par jour pour adultes

NUTRIMENTS	HOMMES	FEMMES
Gras	95 g	70 g
Gras saturés	30 g	20 g
Sucre	70 g	50 g
Sel	7 g	5 g
Fibres	20 g	16 g

Comment juger la proportion d'un ingrédient contenu dans un aliment

BEAUCOUP	PEU
20 g de gras	3 g de gras
5 g de gras saturés	1 g de gras saturés
10 g de sucre	2 g de sucre
0,5 g de sodium	0,1 g de sodium
1,5 g de sel	0,3 g de sel
3 g de fibres	0,5 g de fibres

La gestion du poids

Cela vous surprendra peut-être, mais une personne faisant de l'embonpoint brûle plus de calories qu'une personne mince, ce qui détruit le mythe que les gens qui ont une surcharge pondérale brûlent moins de calories lorsqu'elles font de l'exercice. Souvent les gens qui sont trop gros mettront la situation sur le dos d'un métabolisme lent. Il est possible d'augmenter votre métabolisme en combinant les exercices aérobiques et les exercices de musculation.

Les calories

Le terme « calorie » est largement utilisé pour décrire la valeur énergétique d'un aliment lorsque l'organisme le brûle. Cependant, lorsqu'on parle de mesure d'énergie, et de ce fait du contenu calorique d'un aliment, le terme kilocalorie (ou kcal) est plus approprié. Sur les étiquettes d'aliments, vous remarquerez que la valeur calorique des aliments est donnée en kJ/100 g et en kcal/100 g. Cela signifie que chaque 100 grammes d'un produit vous fournira la quantité donnée d'énergie en kilojoules (kJ ou kjoules) ou en kilocalories. Une calorie équivaut à 4,2 kilojoules.

Tous les aliments que vous consommez fournissent des calories, mais certains, généralement ceux qui sont riches en gras, en contiennent davantage. Par exemple, une pomme, qui est pauvre en gras et riche en fibres, contiendra environ 50 kcal tandis qu'un morceau de cheddar de même poids en fournira 8 fois plus. Chaque gramme de gras pur fournit 9 kcal, tandis que 1 gramme de protéine ou de glucide en fournira environ 4. C'est pourquoi les aliments frits peuvent avoir un effet significatif sur la valeur calorique totale.

Êtes-vous en forme ?

Votre marge de poids dépend de votre taille et les diététistes et les médecins se basent sur l'indice de masse corporelle (IMC) de chaque individu pour la calculer. Pour trouver votre IMC, prenez votre poids (en kilogrammes) et divisez-le par votre taille (en mètres carrés) :

$$IMC = \frac{poids\ (kg)}{taille\ (m)^2}$$

La fourchette la plus souhaitable est un IMC qui se situe entre 20 et 24. Un IMC plus élevé indique une surcharge pondérale, et plus il est élevé, plus votre surplus de poids est grand.

La théorie des fruits

Êtes-vous « pomme » (votre taille est plus large que vos hanches) ou « poire » (vos hanches sont plus larges que votre taille) ?

Cela peut ne pas sembler important, mais en fait de solides théories scientifiques ont été formulées d'après cette information. On dit que l'obésité centrale, lorsque le poids se situe autour de la taille, serait associée à une résistance à l'insuline, qui par la suite s'est révélée un facteur de risque de maladies coronariennes (voir le syndrome X, page 9). Les gens ayant un tour de taille plus grand ont des risques élevés de diabète et de cardiopathies. Un tour de taille de plus de 94 cm (37 po) pour les hommes et de plus de 82 cm (32 po) chez les femmes est considéré comme facteur de risque. Les hommes d'origine sud-asiatique ont été trouvés encore plus à risque, donc dans leur cas, la mesure idéale devrait être inférieure à 92 cm (36 po).

De ce fait, il apparaît que d'être poire peut offrir une certaine protection. Bien s'alimenter et pratiquer un exercice physique régulier peut aider à éliminer le surplus de gras abdominal.

Vers le succès

Avant d'adopter votre nouveau mode de vie sain, dressez une liste de tous les bienfaits que vous récolterez. Sur votre liste, vous pouvez inscrire des remarques comme réussir à porter de nouveau vos vieux jeans ou pouvoir courir jusqu'à l'arrêt d'autobus, vous sentir plus confiant, moins essoufflé, faire baisser votre taux de cholestérol afin de ne plus prendre de médicaments, etc. Songez à ce que ce nouveau mode de vie vous apportera. Comment une nouvelle image de vous influera-t-elle sur votre vie : votre confiance, votre rendement au travail, votre vie sociale, votre foi en vous ? Et comment affectera-t-elle la façon dont vous interagissez avec votre famille, vos amis et collègues ?

Si vous savez exactement pourquoi vous désirez adopter un mode de vie plus sain, vous augmenterez de beaucoup votre motivation et de ce fait, vos chances de succès.

Une approche pratique

Suivez les grandes lignes de cet ouvrage pour atteindre une ingestion équilibrée des bons types d'aliments. Tenez avec précision un journal alimentaire afin d'obtenir un relevé écrit des jours où vous auriez pu faire plus attention. Si vous ajoutez des notes sur la façon dont vous vous sentiez à ce moment en particulier, une relation peut commencer à émerger entre vos humeurs et les fois où vous trichez. Cela pourra vous aider à apporter des changements durables.

Il n'est pas besoin de cuisiner séparément pour vous. En fait, faire les bons choix alimentaires pour maigrir servira à toute la famille. Prenez tout simplement de plus petites portions et mangez beaucoup de légumes et d'aliments amylacés. Ne sautez pas de repas, car vous risquez souvent de vous sentir affamé au repas suivant et vous mangerez probablement beaucoup plus ou vous serez tenté de prendre un goûter riche en calories entre les deux repas.

Une alimentation saine basée sur vos besoins peut ne pas sembler aussi révolutionnaire que certains régimes «miracles» endossés par les célébrités, mais des preuves révèlent que c'est le meilleur moyen de perdre une quantité considérable de poids et de ne pas en reprendre. Les diététistes peuvent améliorer vos habitudes alimentaires actuelles et votre mode de vie et vous suggérer les stratégies appropriées pour perdre du poids lentement, mais régulièrement.

Visez la minceur

▸ Bien souvent, s'en tenir à un plan alimentaire signifie qu'on se concentre trop sur les aliments et qu'on oublie les bienfaits de l'activité physique. Trouvez des façons de faire de l'exercice chaque jour afin de perdre du poids plus rapidement. Faites de la marche rapide avec un ami, allez à la piscine ou au centre de conditionnement physique. Ou, s'il est trop difficile de consacrer du temps à l'exercice, montez et descendez un escalier plusieurs fois par jour

au travail ou à la maison ou faites de la course sur place en regardant votre émission préférée.

▸ S'il vous semble difficile de surveiller votre alimentation, deux choix s'offrent à vous : soit manger une petite quantité, l'apprécier et passer à autre chose, soit penser à combien vous serez plus mince

et plus en forme si vous persistez et décidez de ne pas craquer pour un morceau de gâteau qui disparaîtra en quelques secondes et qui n'est rien de plus qu'une envie passagère.

▸ Tenez un «journal». Notez ce que vous mangez, à quel moment et ce à quoi vous avez pensé à ce moment-là. Vous

découvrirez peut-être que les aliments qu'idéalement vous aimeriez manger le moins se glissent dans le menu lorsque vous vous sentez fatigué, épuisé, ou que vous vous ennuyez. Savoir que vous pouvez tomber dans ce piège à certains moments peut vous aider à l'éviter en planifiant à l'avance. Lorsque vous sentez que vous manquez d'énergie, faites autre chose que manger pour vous remonter : allez vous balader, écoutez de la musique, appelez un ami, prenez un grand bain, lisez un magazine, bref choisissez quelque chose que vous aimez et qui vous donnera des pensées positives.

▸ Surveillez vos habitudes alimentaires. À quelle heure mangez-vous ? Mangez-vous lorsque vous avez faim ou parce que c'est la pause et tout le monde mange quelque chose, par exemple. Est-ce que vous mangez en soirée ? Si oui, cherchez d'autres occupations pour vous distraire de la nourriture. Et si vous devez manger en soirée, choisissez des options saines telles que des fruits, des crudités avec des trempettes pauvres en gras, du fromage frais, du yogourt pauvre en gras, deux craquelins avec une petite tranche de cheddar, quelques biscuits aux dattes. Servez-vous dans une petite assiette pour faire paraître vos repas plus copieux.

▸ Listez tous les bienfaits que vous espérez retirer lorsque vous serez plus mince et en santé (voir page 32). Si vous trichez, référez-vous à votre liste et rappelez-vous votre but. Gardez votre liste près du réfrigérateur ou à un endroit facile à voir pour maintenir votre motivation.

Faites de l'exercice

L'activité physique aide votre corps à libérer des endorphines, les analgésiques naturels, qui peuvent en retour vous aider à combattre le stress et à vous sentir plus énergique. Nul besoin de faire plusieurs fois le tour du parc au pas de course ou d'aller au centre de conditionnement physique tous les jours afin de demeurer en forme. Tentez d'incorporer des activités simples à votre mode de vie et de vous exercer progressivement jusqu'à 30 minutes par jour, cinq fois par semaine.

▸ Marchez jusqu'à la boîte aux lettres, sortez le chien plus souvent, amenez les enfants faire de la marche rapide ou garez tout simplement votre voiture un peu plus loin que votre destination. Marchez à un rythme qui vous laisse légèrement essoufflé.

▸ Prenez l'escalier plutôt que l'ascenseur dès que c'est possible, ou montez et descendez les marches en courant plusieurs fois par jour.

▸ Sautez ou courez sur place tout en regardant une émission télévisée.

▸ Pratiquez un sport que vous aimez et que vous pouvez inclure à votre quotidien. Allez nager avec les enfants ou prenez des cours de danse en ligne avec des amis.

▸ N'oubliez pas qu'il peut être thérapeutique de faire de l'activité, donc, désherber le jardin peut être plus bénéfique que vous ne le pensez. Et si vous avez envie de tout laisser tomber, jetez un coup d'œil à votre liste pour voir combien vous vous sentiez bien lorsque vous la suiviez et recommencez tout simplement. Vous êtes humain : il est parfaitement acceptable d'avoir des journées de repos.

Rester en bonne santé pour la vie

En apportant une approche rafraîchissante à l'alimentation et au diabète, il est possible et agréable, pour les diabétiques, de prendre le contrôle de leur vie et de se concentrer sur l'obtention de résultats qu'ils peuvent maintenir. Jetons maintenant un œil à quelques étapes pratiques basées sur ce concept, qui vous permettront de mettre au défi vos pensées, vous aidant à obtenir des résultats à plus long terme.

Perdre ses mauvaises habitudes est difficile

… c'est ce qu'on dit. Mais c'est surtout la décision d'apporter des changements qui est la plus difficile à prendre. Commencez dès aujourd'hui à modifier vos habitudes et vous découvrirez très vite d'autres changements à apporter.

Que devriez-vous vous dire ?

Votre façon de penser peut avoir un effet important sur votre comportement, y compris sur votre alimentation. Les instructions dont vous nourrissez votre esprit sont ce à quoi réagira votre esprit. Exercez-vous à vous donner du renforcement positif et à vous encourager. Reliez directement ces pensées à votre but. Par exemple, répétez-vous des phrases telles que «Je me sens mieux lorsque je mange des fruits après un repas» ou «Je me sens bien en marchant plus». Imaginez ce que les autres pourraient dire pour vous soutenir, cela vous donnera un sentiment positif.

Votre esprit est programmé pour vous donner plus que ce à quoi vous pensez, donc si vous pensez que vous grossissez ou que vous êtes en mauvaise santé, vous vous programmez sans le savoir à obtenir ce que vous désirez. Les joueurs de tennis, par exemple, savent que s'ils craignent de frapper la balle dans le filet, c'est exactement ce qui se passera, donc ils se concentrent pour placer la balle à l'endroit exact où ils le veulent. Le truc est de faire des choix conscients qui vous rapprocheront de votre but qui est, dans ce cas, de mener un mode de vie sain.

Ayez l'œil sur votre diabète

▸ Cessez de fumer maintenant.

▸ Tenez-vous-en aux aliments recommandés la plupart du temps. Plus l'IG est faible (voir page 12) et plus les aliments consommés sont équilibrés, mieux c'est. Choisissez des aliments que vous aimez et qui conviennent à votre mode de vie, afin que tout changement soit durable.

▸ Assurez-vous d'incorporer l'activité physique à vos habitudes quotidiennes. Ce peut être aussi simple que de monter un escalier ou de garer la voiture un peu plus loin que la destination prévue afin de marcher.

▸ Tenez-vous-en à la dose prescrite de médicaments à moins que votre médecin traitant ne vous ait recommandé des modifications.

▸ Vérifiez régulièrement votre glucose sanguin afin de suivre l'évolution de votre diabète.

▸ Ne ratez pas vos rendez-vous pour les bilans de santé et assurez-vous de faire évaluer la santé de vos pieds et de vos yeux.

▸ Prenez les mesures appropriées pendant les périodes de maladie ou lorsque vous partez en vacances.

▸ Respectez les limites d'alcool quotidiennes (voir page 23).

▸ Trouvez des façons de vous détendre qui vous aideront à combattre le stress.

Maintenir un poids santé

Vous avez réussi à atteindre le poids désiré et vous ne voulez surtout pas reprendre les kilos perdus. Comme la plupart des gens reprennent le poids perdu, comment vous assurer que cela ne vous arrivera pas ? Si vous ne faites que tolérer votre régime jusqu'à ce que vous ayez atteint votre but, alors peut-être qu'il ne vous convient pas. Le considérer comme un test d'endurance vous fera probablement tout arrêter lorsqu'il sera fini et vous aurez tendance à reprendre vos anciennes habitudes et, par le fait même, vous reprendrez du poids.

Voici quelques conseils pour rester mince :

▸ Considérez votre plan d'amaigrissement comme un nouveau mode de vie. Vous pouvez tricher occasionnellement, mais soyez-en conscient et reprenez votre plan après.

▸ Tentez de maintenir un sens de la perspective au sujet de votre poids – si vous prenez 1 ou 2 kilos, vous pouvez toujours les perdre.

▸ Mettez-vous au défi. Maintenant que vous avez atteint votre but, qu'allez-vous faire ensuite ? Pourquoi ne pas apprendre un nouveau sport ou vous lancer dans un nouveau passe-temps ?

▸ Agissez de sorte que votre routine de travail et que votre famille soient des soutiens. Vous allez rester mince et en santé.

▸ Passez en revue votre garde-robe et donnez avec joie les vêtements qui sont trop grands. Faites-vous plaisir et achetez de nouveaux vêtements. Si vous faites l'effort de bien paraître, vous voudrez demeurer mince.

▸ Encouragez votre famille et vos amis à se joindre à votre régime d'exercice. C'est beaucoup plus amusant de faire du vélo, de la natation ou un sport avec d'autres.

▸ Tenez quotidiennement un journal sur ce que vous mangez afin de savoir quand vous avez triché et ce qu'étaient alors vos émotions, p. ex. ennui, stress, confort, sécurité.

▸ Avant de trouver une consolation dans cet « écart de conduite », demandez-vous si votre choix vous rapproche de votre nouveau moi et, si ce n'est pas le cas, essayez autre chose.

▸ Distrayez-vous. Faites une liste de tout ce qui fonctionnerait, que ce soit marcher, prendre un bain ou danser sur votre musique préférée. Pendant que vous ferez cet exercice, votre cerveau aura été suffisamment distrait pour ne plus avoir besoin de « bonbon ».

Mot du chef

Pendant les sept dernières années, je me suis senti au sommet du monde. Les souvenirs de bronchites, de grippes, de rhumes et de toux ont été remplacés par ma nouvelle passion de manger sainement et de consommer des produits biologiques. J'ai eu de moins en moins besoin d'aller chez le médecin et j'ai commencé à me sentir presque invulnérable à la maladie.

Tout cela, jusqu'à ce que j'accepte de participer à une émission de télévision au sujet du sucre pour laquelle il fallait passer un test sur le syndrome X (voir page 9). Je devais être un peu fou – mais qu'est-ce qu'on ne ferait pas pour passer à la télé? – et je savais pourtant qu'un test aussi approfondi n'était pas accessible à l'époque dans notre système de soins de santé. Il s'agissait d'un test de prélèvement assez complexe au cours duquel on injectait du glucose et de l'insuline dans mon bras gauche tandis que mon bras droit était placé dans un «four» à 65 °C (150 °F). Du sang était prélevé toutes les 10 minutes pendant deux heures et était placé en centrifugeuse pour vérifier la résistance à l'insuline.

Horreur! J'étais atteint du syndrome X: j'étais le candidat idéal pour le diabète de type 2 à moins que je ne change mon style de vie. Le syndrome X est un signe qui permet de réagir rapidement, ce qui n'est pas le cas lorsqu'on reçoit un diagnostic de diabète de type 2.

On estime que près du quart des occidentaux sont affligés du syndrome X et n'en sauront rien jusqu'à ce qu'on leur donne un diagnostic de diabète de type 2. À moins qu'on ne prenne les mesures appropriées, comme surveiller son alimentation, faire de l'exercice aérobique au moins 20 minutes par jour pour accroître son rythme cardiaque, perdre les kilos superflus et cesser de fumer.

J'ai changé mon style de vie et j'espère ne pas devenir diabétique. Cela ne m'empêche pas de profiter des joies de la table. Il n'est pas nécessaire de tout modifier: vous pouvez continuer à manger comme d'habitude (il faut seulement restreindre la consommation de certains aliments) et, si votre médecin vous le prescrit, procédez par élimination.

Mais cela ne signifie pas que vos repas doivent être fades. Avec un peu d'imagination et une bonne connaissance de ce qu'il faut faire, ne pas faire et pour quelles raisons, l'adaptation ne devrait pas être si difficile.

J'ai écrit cet ouvrage en pensant aux diabétiques, mais en fait, les recettes s'adressent à tous. La plupart d'entre nous devons surveiller notre alimentation, alors pourquoi ne pas changer notre style de vie, dès maintenant?

Soyons honnête: je n'utiliserais pas, par choix personnel, d'édulcorants artificiels contenant de l'aspartame, mais les substituts du sucre sont de plus en plus présents sur le marché. Même si je souffre du syndrome X, je préfère ne pas utiliser de margarine, de margarines molles contenant des gras trans ou des huiles végétales hydrogénées, car on a de plus en plus de preuves qu'elles sont dommageables pour la santé. Toutefois, on trouvera dans ce livre des recettes où il n'y a pas de solution de rechange possible. Et, pour la même raison, je ne vous encourage pas à consommer des boissons gazeuses contenant des édulcorants artificiels, car il est de loin préférable d'opter pour des boissons plus naturelles. Vous pouvez améliorer votre santé sans recourir aux produits chimiques; les aliments naturels constituent toujours le meilleur choix.

Aucune de mes recettes n'est compliquée. Ce sont des recettes «normales» qui ont été soumises à un peu de savoir-faire et beaucoup d'imagination pour vous permettre de continuer à jouir des plaisirs de la table. Il n'y a pas de régime, simplement du bon sens; pas d'ordres ni de lois, simplement le plaisir de la table. Azmina a déjà expliqué l'équilibre à atteindre dans l'alimentation. Rappelez-vous que chaque repas doit comprendre des légumes et des glucides avec amidon. Suivez les conseils d'Azmina et vous ne tarderez pas à vous rendre compte que le fait d'être diagnostiqué comme diabétique ne signifie pas qu'on doive se priver pendant tout le reste de notre vie. Au contraire: donnez-vous enfin la chance de vivre votre vie comme elle mérite d'être vécue.

1 Petits déjeuners et brunches

Hachis aux asperges, au lard fumé et aux ciboules
Parfait pour un brunch ou un petit déjeuner tardif, ce mets classique marie saveurs exquises et textures superbes. **Donne 2 portions**

1 gousse d'ail, hachée finement

2 ciboules, en morceaux de 2,5 cm (1 po)

50 g (2 oz) de lard de poitrine fumé maigre, en dés

7 ml (½ c. à soupe) d'huile de colza

5 ml (1 c. à thé) de câpres, égouttées et rincées

8 pointes d'asperges cuites, en morceaux de 5 cm (2 po)

15 ml (1 c. à soupe) d'olives noires, dénoyautées et en dés

15 ml (1 c. à soupe) de vinaigre balsamique

3 œufs

Poivre noir fraîchement moulu

Dans une casserole antiadhésive, faire dorer l'ail, les ciboules et le lard dans l'huile. Ajouter les câpres, les asperges, les olives et le vinaigre ; bien faire chauffer.

Fouetter les œufs et les verser dans le mélange aux asperges. Mélanger jusqu'à ce que les œufs soient cuits à votre goût et aient l'aspect d'œufs brouillés.

Assaisonner de poivre noir au goût et servir sur du pain de grains rôti.

Par portion : 203 kcal, 14 g de gras, 4 g de gras saturés, 3 g de glucides, 0,83 g de sodium

Pilaf au saumon et au hareng
Ce plat se sert généralement au petit déjeuner, mais il fait un délicieux repas léger. Il est recommandé de n'en manger qu'une fois par semaine et non tous les jours. **Donne 2 portions**

1 filet de hareng

175 g (6 oz) de filet de saumon

1 feuille de laurier

150 g (5 oz) de riz brun

½ oignon, haché

25 g (1 oz) de beurre non salé

10 ml (2 c. à thé) de pâte de cari

2 œufs durs, hachés

30 ml (2 c. à soupe) de persil haché

Poivre noir fraîchement moulu

Faire cuire à feu moyen le hareng, le saumon et la feuille de laurier dans 600 ml (2 ⅓ tasses) d'eau pendant 7 minutes, puis laisser refroidir légèrement. Jeter la feuille de laurier, sortir le poisson et conserver l'eau de cuisson. Défaire le poisson en flocons, jeter la peau et les arêtes.

Rincer le riz, puis mélanger 250 ml (1 tasse) de riz pour 750 ml (3 tasses) d'eau de cuisson réservée dans une casserole, porter à ébullition, baisser le feu et laisser mijoter à couvert 30 minutes environ. Égoutter, aérer avec une fourchette et réserver.

Entre-temps, faire revenir l'oignon dans du beurre, sans le faire colorer, ajouter la pâte de cari et bien remuer. Ajouter le riz, le poisson en flocons, les œufs durs et le persil et mélanger.

Assaisonner de poivre noir au goût et servir immédiatement.

Par portion : 766 kcal, 40 g de gras, 12 g de gras saturés, 64 g de glucides, 0,73 g de sodium

Timbales aux œufs brouillés et au saumon fumé
Un mets délicat avec une présentation sophistiquée. Deux ingrédients qui, ensemble, font un petit déjeuner parfait. **Donne 2 portions**

Huile de colza à vaporiser (voir page 17)

110 g (¼ de lb) de saumon fumé, en tranches minces

4 œufs

10 ml (2 c. à thé) de sauce au raifort

10 ml (2 c. à thé) de ciboulette ciselée

Poivre noir fraîchement moulu

10 g (½ oz) de beurre non salé

Cresson, pour garnir

Quartiers de citron, pour garnir

Vaporiser légèrement d'huile 4 timbales et les tapisser d'une pellicule de plastique.

Couvrir le fond de saumon fumé sans laisser d'espace entre les tranches et en les faisant déborder pour couvrir les timbales lorsqu'elles seront remplies.

Battre légèrement les œufs, y incorporer doucement le raifort et la ciboulette (ne pas trop battre les œufs). Poivrer.

Faire fondre le beurre dans une poêle ou dans une casserole antiadhésive jusqu'à ce qu'il mousse, puis y verser les œufs. Avec une cuillère en bois, ramener continuellement le bord des œufs vers le centre jusqu'à ce qu'ils soient cuits à votre goût. Verser immédiatement dans les moules de saumon fumé, tasser avec une cuillère à thé, puis replier le saumon par-dessus.

Pour démouler, renverser le moule au centre d'une assiette et garnir d'un peu de saumon fumé, de cresson et de quartiers de citron.

Par portion : 277 kcal, 18 g de gras, 6 g de gras saturés, 2 g de glucides, 1,22 g de sodium

Tomates rôties farcies aux œufs et aux fines herbes
Une façon différente de servir les œufs. Un plat merveilleux, riche et consistant. Le trait de martini ajoute une touche inattendue. **Donne 4 portions**

50 g (2 oz) de têtes de champignons, hachées finement

1 petit oignon, haché finement

2 ml (½ c. à thé) de feuilles de thym

2 ml (½ c. à thé) de poivre noir moulu

15 ml (1 c. à soupe) d'huile d'olive

15 ml (1 c. à soupe) de martini sec

4 grosses tomates

5 œufs

30 ml (2 c. à soupe) de yogourt grec pauvre en gras

10 ml (2 c. à thé) de ciboulette ciselée

10 ml (2 c. à thé) de persil plat, haché finement

Poivre noir fraîchement moulu

Dans une casserole, faire cuire les champignons, l'oignon, le thym et le poivre noir dans l'huile d'olive à feu doux, 15 minutes environ, en remuant régulièrement jusqu'à ce que l'oignon soit ramolli et que les légumes aient libéré presque tout leur jus. Ajouter le martini et faire bouillir jusqu'à l'évaporation du liquide, puis réserver au chaud.

Préchauffer le four à 180 °C / 350 °F / 4 au four à gaz.

Couper une tranche de 1 cm (½ po) du dessous des tomates. Les évider, les déposer sur une plaque de cuisson le côté coupé vers le haut, déposer à côté les tranches coupées et faire cuire au four 10 minutes.

Entre-temps, battre un des œufs. Fouetter ensemble le yogourt, les fines herbes, 15 ml (1 c. à soupe) d'eau et l'œuf battu. Sortir les tomates du four et les remplir au quart de la préparation aux champignons. Casser un œuf dans chacune d'elles, couvrir de la préparation au yogourt et fermer d'une rondelle de tomate.

Remettre au four de 10 à 15 minutes selon le degré de cuisson des œufs que vous préférez.

Par portion : 161 kcal, 11 g de gras, 3 g de gras saturés, 6 g de glucides, 0,11 g de sodium

Crabe aux œufs brouillés

Les œufs et le crabe, une combinaison moins courante que les œufs et le saumon, se marient bien ensemble. La chair blanche, très goûteuse, provient des pinces de crabe. **Donne 2 portions**

4 œufs
110 g (¼ de lb) de chair de crabe blanche
Poivre noir fraîchement moulu

2 tranches de pain complet
10 g (½ oz) de beurre non salé
30 ml (2 c. à soupe) de yogourt grec pauvre en gras

Battre légèrement les œufs, puis les mélanger avec la chair de crabe. Assaisonner de poivre noir moulu. Faire griller le pain et le tartiner avec la moitié du beurre. Garder au chaud.

Faire chauffer le reste de beurre dans une poêle antiadhésive, y verser les œufs et remuer jusqu'à ce qu'ils soient cuits à votre goût. Incorporer délicatement le yogourt et garnir le pain grillé de ce mélange.

Par portion : 337 kcal, 19 g de gras, 7 g de gras saturés, 15 g de glucides, 0,55 g de sodium

Pain brun simple et délicieux

Cette spécialité irlandaise est le pain le plus facile à préparer. Le bicarbonate de soude et le lait sur ou le babeurre, un acide qui remplace la levure, permettent à ce pain de lever. **Donne 1 pain**

450 ml (1 ¾ tasse) de lait semi-écrémé ou de babeurre
Jus de 1 citron (si vous utilisez du lait)
280 g (10 oz) de farine blanche

5 à 7 ml (1 c. à thé) comble de sel (facultatif)
5 à 7 ml (1 c. à thé) comble de bicarbonate de soude
280 g (10 oz) de farine de blé entier moulue sur pierre

Préchauffer le four à 230 °C / 450 °F / 8 au four à gaz.

Pour faire surir le lait, le verser dans un grand pichet avec le jus de citron. Laisser reposer 15 minutes pour qu'il épaississe avant de mélanger. Pour éviter cette étape, utiliser du babeurre.

Tamiser la farine blanche, le sel (facultatif) et le bicarbonate de soude, puis ajouter la farine de blé entier dans un grand bol ; bien mélanger. Creuser un puits au centre et y verser peu à peu le lait suri ou le babeurre.

En travaillant à partir du centre, mélanger soit à la main, soit avec une cuillère de bois en ajoutant du lait suri au besoin. La pâte devrait être molle mais non collante. Si elle est trop détrempée, ajouter de la farine.

Renverser sur une planche farinée et pétrir légèrement, suffisamment pour former une boule ronde. Aplatir légèrement à environ 5 cm (2 po) d'épaisseur et déposer sur une plaque de cuisson.

Avec un gros couteau fariné, pratiquer une croix profonde sur le dessus de pain et faire cuire au four de 15 à 20 minutes, puis baisser la température à 200 °C / 400 °F / 6 au four à gaz et poursuivre la cuisson de 20 à 25 minutes ou jusqu'à ce que le pain soit cuit et que le fond sonne creux lorsqu'on tape dessus.

Par quart de pain : 508 kcal, 4 g de gras, 2 g de gras saturés, 105 g de glucides, 0,75 g de sodium

Muffins aux cerises séchées *D'autres fruits séchés peuvent être utilisés, mais selon moi, rien ne vaut les cerises. Ces muffins sont parfaits pour un petit déjeuner rapide ou un goûter au milieu de l'avant-midi.* **Donne 12 petits muffins**

150 ml (5 oz) de lait semi-écrémé ou de babeurre

15 ml (1 c. à soupe) de jus de citron (si vous utilisez du lait)

Huile de colza à vaporiser (voir page 17)

75 g (3 oz) de cerises dénoyautées séchées

150 g (5 oz) de farine

7 ml (1 ½ c. à thé) de levure chimique

50 g (2 oz) de beurre non salé

75 g (3 oz) de sucre

1 œuf

2 ml (½ c. à thé) de zeste d'orange râpé

Préchauffer le four à 180 °C / 350 °F / 4 au four à gaz.

Si vous utilisez du lait, le mélanger avec le jus de citron et laisser reposer 30 minutes. Vaporiser légèrement d'huile un moule à muffins à 12 cavités ou 12 moules à muffins en papier. Si vous en avez le temps, faites tremper les cerises dans le lait au citron ou le babeurre 30 minutes pour aider à les ramollir (cette étape n'est pas essentielle).

Dans un grand bol, tamiser ensemble la farine et la levure chimique. Dans un autre bol, battre le beurre et le sucre jusqu'à ce que le mélange soit léger et aéré. Battre légèrement l'œuf, puis l'incorporer avec le zeste d'orange au mélange au beurre.

Creuser un puits au centre de la farine et de la levure chimique et y verser les cerises et le lait suri ou le babeurre. Ajouter le mélange au beurre et bien mélanger avec les mains, sans trop travailler la pâte.

Remplir les moules aux deux tiers. Faire cuire au four 20 minutes environ, ou jusqu'à ce qu'un cure-dent inséré au centre en ressorte propre.

Faire refroidir les muffins sur une grille.

Par muffin : 131 kcal, 5 g de gras, 3 g de gras saturés, 22 g de glucides, 0,09 g de sodium

Muffins au son, au miel, à l'orange et au thym *Ces délicieux muffins, pauvres en gras, regorgent de fibres. On trouve le son de blé dans les épiceries d'alimentation naturelle.* **Donne 12 muffins**

150 ml (5 oz) de lait semi-écrémé ou de babeurre

15 ml (1 c. à soupe) de jus de citron (si vous utilisez du lait)

Huile de colza à vaporiser (voir page 17)

25 g (1 oz) de cassonade pâle molle

25 g (1 oz) de beurre non salé, fondu

2 œufs, légèrement battus

2 ml (½ c. à thé) de feuilles de thym

60 ml (¼ de tasse) de miel liquide

Zeste râpé de 2 oranges

225 g (½ lb) de farine

225 g (½ lb) de son de blé non traité

15 ml (1 c. à soupe) de levure chimique

1 pincée de sel

Préchauffer le four à 180 °C / 350 °F / 4 au four à gaz.

Si vous utilisez du lait, le mélanger avec le jus de citron et laisser reposer 30 minutes.

Vaporiser légèrement d'huile 1 moule à muffins à 12 cavités ou 12 moules à muffins en papier.

Dans un bol, mélanger la cassonade, le beurre fondu, le lait suri ou le babeurre, les œufs, le thym, le miel et le zeste d'orange.

Dans un autre bol, mélanger la farine, le son de blé, la levure chimique et le sel. Creuser un puits au centre, y verser les ingrédients liquides et mélanger jusqu'à l'obtention d'une pâte. Ne pas trop mélanger.

Remplir de pâte chaque moule à muffins aux deux tiers et faire cuire au four de 20 à 25 minutes jusqu'à ce qu'ils soient dorés et cuits. Pour vérifier la cuisson, insérer un cure-dent au centre d'un muffin ; s'il en ressort propre, les muffins sont cuits. Sortir du four, laisser reposer 10 minutes, puis renverser sur une grille métallique et laisser refroidir complètement.

Par muffin : 161 kcal, 4 g de gras, 2 g de gras saturés, 27 g de glucides, 0,24 g de sodium

2

Soupes et salades

Soupe aux topinambours *Aussi bien crus que râpés dans les salades, les topinambours ont un goût délicieux.*

Donne 4 portions

Huile d'olive à vaporiser (voir page 17)
450 g (1 lb) de topinambours, pelés, en dés et ayant trempé dans de l'eau acidulée (eau additionnée d'un peu de jus de citron ou de vinaigre)
1 oignon, en dés
225 g (1/2 lb) de pommes de terre farineuses, en dés
2 gousses d'ail, hachées finement

1 branche de céleri, en dés
5 ml (1 c. à thé) comble de feuilles de thym
1 litre (4 tasses) de bouillon de poulet ou de légumes
150 ml (5 oz) de lait écrémé
60 ml (¼ de tasse) de yogourt grec pauvre en gras
1 pincée de muscade fraîchement râpée
50 g (2 oz) de feuilles de mini-épinards
Poivre noir fraîchement moulu

Vaporiser légèrement une casserole d'huile d'olive. Égoutter les topinambours et les mettre dans la casserole. Ajouter l'oignon, les pommes de terre, l'ail, le céleri et le thym, puis bien mélanger. Couvrir et faire cuire 10 minutes, en secouant la casserole de temps à autre, jusqu'à ce que les pommes de terre aient commencé à s'attendrir sans se colorer.

Mouiller avec le bouillon, porter à ébullition, baisser le feu et laisser mijoter 10 minutes ou jusqu'à ce que les légumes soient ramollis et bien tendres. Laisser un peu refroidir, puis réduire en purée en plusieurs fois au mélangeur à main ou au robot culinaire. Si vous désirez une soupe crémeuse, la passer au chinois. Remettre dans la casserole.

Ajouter le lait et le yogourt et fouetter. Incorporer la muscade et les épinards et faire réchauffer doucement, en remuant, jusqu'au flétrissement des épinards. Assaisonner de poivre noir au goût et servir dans des bols chauds avec du pain de blé entier.

Par portion : 164 kcal, 2 g de gras, 1 g de gras saturés, 32 g de glucides, 0,39 g de sodium

Soupe au cresson et aux pommes de terre *Un mélange français classique réconfortant, au goût merveilleux. Cette soupe chaude et épaisse est parfaite pour les mois d'hiver.* Donne 4 portions

2 échalotes, en petits dés
1 brin de thym
25 g (1 oz) de beurre doux
2 bottes de cresson (tiges et feuilles séparées)
325 g (¾ de lb) de pommes de terre farineuses, en dés

1,25 litre (5 tasses) de bouillon de légumes ou de poulet, très chaud
60 ml (¼ de tasse) de yogourt pauvre en gras
Poivre noir fraîchement moulu

Dans une casserole, faire revenir doucement les échalotes et le thym dans le beurre jusqu'à ce qu'ils soient ramollis, mais pas colorés. Nouer les tiges de cresson avec une ficelle et les mettre dans la casserole. Ajouter les pommes de terre et bien mélanger.

Mouiller avec le bouillon très chaud et faire cuire rapidement jusqu'à ce que les pommes de terre soient tendres. Retirer et jeter les tiges de cresson.

Ajouter la moitié des feuilles de cresson et poursuivre la cuisson 1 minute, puis liquéfier au mélangeur. Passer la soupe au chinois. Au fouet, incorporer le yogourt et le reste des feuilles de cresson. Bien faire chauffer et assaisonner de poivre noir avant de servir.

Par portion : 123 kcal, 6 g de gras, 3 g de gras saturés, 13 g de glucides, 0,43 g de sodium

Soupe froide aux pois et à la menthe avec salade de fèves des marais

Parfait pour un lunch léger d'été. Utilisez des pois frais pendant la saison, mais les pois surgelés sont tout aussi nutritifs. Donne 4 portions

900 ml (3 ⅔ tasses) de bouillon de légumes	**Pour la salade de fèves des marais :**
1 gousse d'ail, écrasée	175 g (6 oz) de fèves des marais écossées et pelées ou 400 g (14 oz) de haricots blancs en conserve, égouttés
4 ciboules, tranchées	
15 ml (1 c. à soupe) d'huile végétale	
450 g (1 lb) de pois (frais ou surgelés)	4 ciboules, tranchées finement
15 ml (1 c. à soupe) de sucre	15 ml (1 c. à soupe) d'huile d'olive
30 ml (2 c. à soupe) de feuilles de menthe hachées	5 ml (1 c. à thé) de jus de citron
Poivre noir fraîchement moulu	15 ml (1 c. à soupe) de parmesan râpé
150 ml (5 oz) de yogourt grec pauvre en gras	

Dans une casserole, porter le bouillon à ébullition.

Dans une autre casserole, faire ramollir l'ail et les ciboules dans l'huile végétale sans les laisser dorer. Ajouter les pois et le sucre, puis le bouillon très chaud. Faire cuire 12 minutes si vous utilisez des pois frais et 4 minutes pour des pois surgelés. Laisser refroidir.

Au mélangeur, liquéfier la soupe avec la menthe. Assaisonner de poivre noir au goût, laisser refroidir et réfrigérer. Une fois la soupe froide, incorporer le yogourt au fouet.

Pour préparer la salade, juste avant de servir, mélanger les fèves des marais ou les haricots blancs avec les ciboules, l'huile d'olive et le jus de citron. Poivrer généreusement. Incorporer délicatement le parmesan.

Mettre un peu de salade au centre de 4 bols, verser la soupe autour et servir immédiatement.

Par portion : 238 kcal, 11 g de gras, 3 g de gras saturés, 22 g de glucides, 0,35 g de sodium

Soupe rustique à l'ail

Une soupe réconfortante, l'ail ayant de nombreuses propriétés bénéfiques. Il est antibactérien et antiviral en plus d'aider à baisser la cholestérolémie et à soulager la congestion nasale. Donne 2 portions

5 gousses d'ail, tranchées finement	15 ml (1 c. à soupe) d'huile d'olive
25 g (1 oz) de bacon maigre, en petits morceaux (facultatif)	4 tranches épaisses de pain complet, écroûtées
1 piment chili rouge, tranché finement	2 ml (½ c. à thé) de paprika
1 oignon, tranché finement	600 ml (2 ⅓ tasses) de bouillon de poulet
5 ml (1 c. à thé) de feuilles de thym	Poivre noir fraîchement moulu

Dans une casserole, faire dorer l'ail, le bacon (facultatif), le piment chili, l'oignon et le thym dans l'huile d'olive. Rompre le pain en petits cubes et les mettre dans la casserole avec le paprika et le bouillon de poulet.

Porter à ébullition et laisser mijoter 10 minutes, en remuant de temps à autre, ou jusqu'à ce que le pain se défasse et que le liquide soit épais. Pour une soupe plus lisse, la liquéfier au mélangeur ou au robot culinaire. Assaisonner de poivre noir au goût.

Par portion : 271 kcal, 8 de gras, 1 g de gras saturés, 42 g de glucides, 0,83 g de sodium

Bouillon de pâtes grillées et de champignons sauvages

Ce bouillon est idéal à l'automne ou en hiver, lorsque les champignons sauvages sont excellents. Une excellente source de glucides. **Donne 4 portions**

110 g (4 oz) de fettucine de blé entier

15 ml (1 c. à soupe) d'huile d'olive

Huile d'olive à vaporiser (voir page 17)

5 ml (1 c. à thé) de feuilles de thym

5 ml (1 c. à thé) d'ail haché

2 oignons, grossièrement hachés

25 g (1 oz) de cèpes ou de bolets séchés, ayant trempé dans 300 ml (1 ¼ tasse) d'eau bouillante

1 botte de persil (feuilles et tiges)

5 ml (1 c. à thé) de poivre noir en grains

1,25 litre (5 tasses) de bouillon de légumes ou de poulet

225 g (½ lb) de champignons sauvages frais mélangés, nettoyés

Poivre fraîchement moulu

1 botte de ciboules, tranchées

Préchauffer le four à 180 °C / 350 °F / 4 au four à gaz.

Briser les pâtes en petits morceaux, les mélanger avec l'huile et les mettre sur une plaque de cuisson. Faire dorer au four 10 minutes. Réserver.

Vaporiser une casserole d'un peu d'huile d'olive, y faire cuire le thym, l'ail et les oignons à feu moyen 10 minutes ou jusqu'à ce que les oignons soient ramollis mais pas colorés. Ajouter les champignons séchés réhydratés avec leur liquide, les tiges de persil, les grains de poivre et le bouillon, porter à ébullition et faire cuire 30 minutes.

Entre-temps, retirer les pieds des champignons sauvages et les ajouter au bouillon. Trancher les têtes de champignons et les couper en quatre, réserver.

Filtrer le bouillon, essuyer la casserole et y remettre le bouillon filtré. Ajouter les pâtes et les champignons frais préparés et poursuivre la cuisson 10 minutes.

Poivrer au goût et parsemer de ciboules. Servir bien chaud.

Par portion : 184 kcal, 5 g de gras, 1 g de gras saturés, 30 g de glucides, 0,47 g de sodium

«Eau» à la tomate

Une soupe hautement rafraîchissante et légère qu'il vaut la peine de préparer. Le basilic devrait flotter élégamment à la surface autour des petits dés de tomate. **Donne 4 portions**

1 kg (2 lb) de tomates en grappe mûres mais fermes, hachées grossièrement

15 ml (1 c. à soupe) de sauce Worcestershire

5 ml (1 c. à thé) de sauce de piment fort

½ concombre, en bouchées

300 ml (1 ¼ tasse) d'eau

5 ml (1 c. à thé) de sel

3 tomates italiennes, épépinées et en dés

6 feuilles de basilic

Au mélangeur, liquéfier tous les ingrédients, sauf les tomates italiennes et le basilic.

Verser la pulpe dans des sacs à gelée ou dans une mousseline et la laisser égoutter de préférence toute la nuit. Ne pas la forcer au travers des sacs ou de la mousseline, car le liquide sera brouillé. **Conserver** au réfrigérateur jusqu'au moment de servir. **Garnir** chaque assiette à soupe de dés de tomate et de basilic en chiffonnade. Verser dessus l'eau des tomates et servir immédiatement.

Par portion : 64 kcal, 1 g de gras, 0,1 g de gras saturés, 12 g de glucides, 0,59 g de sodium

Gaspacho aux fruits de mer grillés

Une variante extraordinaire du gaspacho espagnol. **Donne 4 portions**

1 tranche de pain de campagne de blé entier, écroûtée et en petits morceaux

10 ml (2 c. à thé) de vinaigre de xérès

½ gousse d'ail, hachée finement

5 ml (1 c. à thé) de sucre

½ piment chili rouge, épépiné, en dés fins

30 ml (2 c. à soupe) d'huile d'olive et plus pour badigeonner

350 g (¾ de lb) de tomates italiennes, pelées et épépinées

190 ml (¾ de tasse) de jus de tomate

2 ciboules, tranchées finement

½ poivron rouge, rôti ou grillé, pelé, épépiné, en dés

½ gros concombre, pelé, épépiné, en dés grossiers

10 ml (2 c. à thé) de pesto

Poivre noir fraîchement moulu

3 grosses crevettes, décortiquées

4 pétoncles, écaillés

Feuilles de basilic pour garnir

125 g (¼ de lb) de chair de crabe blanche

Pour le sel au basilic (facultatif) :

1 poignée de feuilles de basilic

125 g (¼ de lb) de sel de mer

Au robot culinaire ou au mélangeur, broyer le pain, puis ajouter le vinaigre, l'ail, le sucre et le piment chili et mélanger jusqu'à l'obtention d'une purée lisse.

Ajouter l'huile d'olive, un peu à la fois, jusqu'à ce qu'elle soit bien absorbée par le pain. Ajouter les tomates, le jus de tomate, les ciboules, le piment rouge, le concombre et le pesto. Mélanger jusqu'à l'obtention d'une émulsion lisse. Assaisonner de poivre noir au goût.

Pour le sel au basilic, réduire les ingrédients en une purée lisse au mélangeur. Conserver dans un contenant hermétique.

Une demi-heure avant de servir, parsemer les crevettes et les pétoncles de 2 ml (½ c. à thé) de sel au basilic, si désiré, et mélanger.

Secouer le sel des crevettes et des pétoncles et les badigeonner d'un peu d'huile d'olive. Faire cuire sous le gril chaud ou dans une poêle à fond épais et cannelé de 1 à 2 minutes de chaque côté.

Servir dans des assiettes à soupe profondes à large bord. Déposer les crevettes et les pétoncles au centre et verser la soupe autour. Parsemer de feuilles de basilic et de chair de crabe fraîche et servir immédiatement.

Par portion : 198 kcal, 10 g de gras, 2 g de gras saturés, 11 g de glucides, 0,65 g de sodium

Coquillages pochés dans un bouillon oriental

Cette soupe légère regorge de saveurs vibrantes, ayant un peu de mordant. **Donne 4 portions**

15 ml (1 c. à soupe) d'huile végétale

5 ml (1 c. à thé) de pâte de cari thaïlandaise rouge

2 gousses d'ail, tranchées

1 oignon, tranché finement

½ bulbe de fenouil, tranché

15 ml (1 c. à soupe) de purée de tomate

1 tige de citronnelle, hachée finement

2 piments oiseaux, séchés

1 feuille de limier kaffir, ciselée (facultatif)

1 morceau de gingembre de 1 cm (½ po), haché finement

1 « pétale » d'anis étoilé

2 litres (8 tasses) de fumet de poisson

5 ml (1 c. à thé) d'estragon haché

Pour terminer le bouillon :

110 g (¼ de lb) de pointes d'asperges

50 g (2 oz) de pois

4 gros pétoncles

110 g (¼ de lb) de filet de saumon, coupé en 4

8 grosses crevettes, décortiquées et déveinées

24 moules, nettoyées

110 g (¼ de lb) de chair de crabe blanche

75 g (3 oz) de pois « Sugar snap »

2 tomates, en quartiers et épépinées

Jus de 2 limes

15 ml (1 c. à soupe) de nam pla (sauce de poisson thaïlandaise)

24 feuilles de coriandre

1 poignée de feuilles de mini-épinards

Faire chauffer l'huile dans une casserole, ajouter la pâte de cari et faire cuire 1 minute en remuant régulièrement. Ajouter l'ail, l'oignon et le fenouil et faire cuire doucement 10 minutes.

Incorporer la purée de tomate, la citronnelle, les piments, la feuille de limier (facultatif), le gingembre et l'anis étoilé. Mouiller avec le fumet et ajouter l'estragon. Laisser mijoter à feu doux 1 heure, puis filtrer et verser le bouillon dans une casserole propre.

Porter le bouillon à ébullition, ajouter les asperges et les pois et faire cuire 2 minutes. Ajouter les pétoncles et le saumon et faire cuire 2 minutes. Ajouter le reste des ingrédients et poursuivre la cuisson jusqu'à ce que les moules se soient ouvertes. Verser dans 4 bols chauds.

Par portion : 241 kcal, 9 g de gras, 1 g de gras saturés, 10 g de glucides, 1,26 g de sodium

Soupe thaïlandaise au merlan et aux calmars

Le merlan est un poisson mal exploité qui se marie bien avec les saveurs thaïlandaises. Vous pouvez le remplacer par de la morue, de l'aiglefin ou de la lotte. **Donne 6 portions**

1,5 litre (6 tasses) de fumet de poisson
1 lime, tranchée finement
2 feuilles de limier kaffir, en fines lanières
3 gousses d'ail, écrasées
3 piments chilis, tranchés finement
1 morceau de gingembre frais de 2 ½ cm (1 po), tranché
1 tige de citronnelle, hachée finement
30 ml (2 c. à soupe) de nam pla (sauce de poisson thaïlandaise)

450 g (1 lb) de filets de merlan, en cubes de 5 cm (2 po)
225 g (½ lb) de pointes de mini-asperges
4 ciboules, tranchées
450 g (1 lb) de calmars, en cubes de 5 cm (2 po)
175 g (6 oz) de pois
Poivre noir fraîchement moulu
30 ml (2 c. à soupe) de feuilles de coriandre hachées

Dans une grande casserole, porter le fumet à ébullition et ajouter la lime, les feuilles de limier, l'ail, les piments chilis, le gingembre, la citronnelle et le nam pla. Laisser mijoter 5 minutes.

Ajouter le merlan, les asperges et les ciboules et poursuivre la cuisson 4 minutes. Ajouter les calmars et les pois et faire cuire 1 minute seulement. Assaisonner de poivre noir, garnir de feuilles de coriandre et servir immédiatement.

Par portion : 159 kcal, 2 g de gras, 0,1 g de gras saturés, 5 g de glucides, 0,83 g de sodium

Soupe chinoise au poulet et aux nouilles

Cette variante d'une soupe chinoise classique utilise des nouilles de sarrasin au lieu de nouilles aux œufs. Puisque cette soupe contient beaucoup de glucides, il est préférable de la servir comme plat principal. **Donne 4 portions**

225 g (½ lb) de nouilles de sarrasin
5 ml (1 c. à thé) d'huile de sésame
5 ml (1 c. à thé) d'huile végétale
2 ml (½ c. à thé) de gingembre frais, râpé
1 gousse d'ail, hachée finement
2 ml (½ c. à thé) de chili, émincé

3 ciboules, tranchées
60 ml (¼ de tasse) de sauce soja pauvre en sel
10 ml (2 c. à thé) de miel liquide
1,25 litre (5 tasses) de bouillon de poulet
Poivre noir fraîchement moulu
175 g (6 oz) de poulet cuit, en fines lanières
15 ml (1 c. à soupe) de feuilles de coriandre hachées

Faire cuire les nouilles dans de l'eau bouillante jusqu'à ce qu'elles soient tendres, 4 minutes environ. Les égoutter et les passer sous l'eau froide.

Entre-temps, dans une casserole, faire chauffer les huiles à feu moyen. Ajouter le gingembre, l'ail, le chili et les ciboules et faire cuire 3 minutes en remuant continuellement. Ajouter la sauce soja, le miel liquide et le bouillon de poulet, puis porter à ébullition et laisser mijoter 3 minutes. Assaisonner de poivre noir au goût.

Ajouter les nouilles, puis le poulet cuit et la coriandre. Faire réchauffer 2 minutes avant de servir.

Par portion : 326 kcal, 7 g de gras, 1 g de gras saturés, 47 g de glucides, 1,06 g de sodium

Couscous de luxe
Le couscous accompagne habituellement le tagine marocain, mais il est aussi délicieux en salade. Cette recette peut aussi se préparer avec du riz. Quel que soit l'ingrédient choisi, vous obtiendrez un plat léger, coloré et riche en saveurs. **Donne 2 portions**

200 ml (7 oz) de bouillon de poulet ou de légumes

15 ml (1 c. à soupe) d'huile d'olive

2 ml (½ c. à thé) de sel

110 g (¼ de lb) de couscous

Zeste de 1 citron râpé finement

Jus de ½ citron

25 g (1 oz) d'amandes effilées, rôties

50 g (2 oz) d'abricots séchés, ayant trempé dans un peu d'eau 20 minutes, égouttés et hachés

25 g (1 oz) de raisins de Smyrne ou autres

60 ml (¼ de tasse) de persil plat, haché grossièrement

60 ml (¼ de tasse) de coriandre, hachée grossièrement

Faire chauffer le bouillon dans une grande casserole avec l'huile d'olive et le sel. Porter à ébullition et retirer immédiatement du feu. Ajouter le couscous en un mince filet régulier et incorporer le zeste de citron. Laisser le couscous gonfler 10 minutes, jusqu'à ce que l'eau soit toute absorbée.

Remettre le couscous sur le feu et l'arroser du jus de citron. Faire chauffer doucement pendant environ 5 minutes, en remuant avec une fourchette à longues dents pour aérer les grains, puis retirer du feu.

Incorporer délicatement les amandes, les abricots, les raisins de Smyrne ou autres, le persil et la coriandre. Assaisonner de poivre noir au goût. Servir avec un Tagine de poulet (voir page 115) ou laisser refroidir à la température ambiante et servir comme salade santé.

Par portion : 343 kcal, 14 g de gras, 1 g de gras saturés, 49 g de glucides, 0,64 g de sodium

Salade de courge, d'ail, de chili et de cumin
Les courges sont une bonne source de bêta-carotène et de vitamine E. Elles peuvent être utilisées dans des plats sucrés et savoureux et sont souvent cuisinées avec des épices. **Donne 4 portions**

1 courge musquée moyenne, en quartiers

6 gousses d'ail

Poivre noir fraîchement moulu

5 ml (1 c. à thé) de feuilles de thym

30 ml (2 c. à soupe) d'huile d'olive

15 ml (1 c. à soupe) de vinaigre balsamique

15 ml (1 c. à soupe) de vinaigre de vin rouge

15 ml (1 c. à soupe) de harissa

7 ml (1 ½ c. à thé) de graines de cumin moulues

30 ml (2 c. à soupe) de feuilles de coriandre hachées

2 œufs durs, écalés et en quartiers

Préchauffer le four à 180 °C / 350 °F / 4 au four à gaz.

Mettre la courge dans un plat à rôtir, le côté coupé vers le haut, et ajouter les gousses d'ail. Parsemer de poivre, de feuilles de thym et de la moitié de l'huile d'olive. Faire rôtir au four pendant environ 40 minutes ou jusqu'à ce qu'elle soit tendre et dorée, en la retournant de temps en temps. Sortir du four et laisser refroidir à la température ambiante.

Racler la pulpe de la courge et l'écraser avec l'ail et les jus de cuisson. Incorporer le reste des ingrédients, sauf les œufs.

Dresser dans un bol et garnir des œufs avant de servir.

Par portion : 157 kcal, 10 g de gras, 2 g de gras saturés, 12 g de glucides, 0,06 g de sodium

Salsa verde
Un plat d'accompagnement léger et rafraîchissant, délicieux aussi avec les plats de viande tels que le Porc bouilli avec salsa verde (page 120). Le concombre mariné, le jus de citron et le vinaigre donnent un merveilleux goût relevé.

Donne 4 portions

1 poignée de feuilles de persil plat

6 feuilles de basilic

1 concombre mariné, haché grossièrement

1 ½ gousse d'ail, hachée grossièrement

15 ml (1 c. à soupe) de câpres, égouttées et rincées

2 filets d'anchois en conserve, égouttés et rincés

7 ml (½ c. à soupe) de vinaigre de vin rouge

7 ml (½ c. à soupe) de jus de citron

45 ml (3 c. à soupe) d'huile d'olive extra-vierge

7 ml (½ c. à soupe) de moutarde forte

1 pincée de poivre noir fraîchement moulu

Hacher grossièrement à la main ou au robot culinaire les fines herbes, le concombre, l'ail, les câpres et les anchois. (Vous obtiendrez un meilleur résultat à la main.)

Verser dans un bol non métallique et incorporer lentement au fouet le reste des ingrédients.

Par portion : 87 kcal, 9 g de gras, 1 g de gras saturés, 1 g de glucides, 0,29 g de sodium

Salade de mini-épinards et de champignons de Paris
Une salade idéale pour garder la ligne. Parfaite pour les pique-niques l'été ou pour accompagner un plat principal. **Donne 2 portions**

110 g (¼ de lb) de champignons de Paris, nettoyés et coupés en 4

1 pincée de sel

45 ml (3 c. à soupe) de jus de citron

2 ml (½ c. à thé) de romarin moulu

30 ml (2 c. à soupe) de persil haché grossièrement

10 ml (2 c. à thé) d'huile d'olive

45 ml (3 c. à soupe) de yogourt grec pauvre en gras

30 ml (2 c. à soupe) de lait écrémé

Poivre noir fraîchement moulu

2 poignées de mini-épinards

30 ml (2 c. à soupe) de ciboulette ciselée

Mettre les champignons dans un grand bol, les saupoudrer d'un peu de sel et laisser reposer 30 minutes. Rincer sous l'eau froide et assécher avec du papier absorbant.

Mélanger le jus de citron, le romarin, le persil et l'huile d'olive, verser sur les champignons et mélanger.

Diluer le yogourt dans un peu de lait et verser sur les champignons. Assaisonner de poivre noir au goût.

Répartir les épinards entre 2 assiettes, garnir le centre de champignons et parsemer de ciboulette.

Par portion : 75 kcal, 5 g de gras, 1 g de gras saturés, 4 g de glucides, 0,48 g de sodium

Salade de chicorée aux noix et aux croûtons

Le goût légèrement amer de la chicorée est atténué par les noix et le vinaigre doux. Bien que cette salade soit relativement riche en gras, il s'agit pour la plupart de gras non saturés. **Donne 2 portions**

2 têtes de chicorée ou d'endives belges

Huile d'olive en vaporisateur (voir page 17)

1 gousse d'ail, émincée

1 tranche de pain de campagne, coupée en croûtons

7 ml (½ c. à soupe) d'huile de noix

4 noix de Grenoble, hachées grossièrement

15 ml (1 c. à soupe) de vinaigre de xérès vieilli

Poivre noir fraîchement moulu

30 ml (2 c. à soupe) de ciboulette hachée

Défaire les têtes de chicorée en feuilles et les laver. Conserver une douzaine de grosses feuilles entières, couper le reste en lanières, réserver.

Vaporiser légèrement une poêle d'huile d'olive. Faire chauffer, puis ajouter l'ail et les croûtons et les faire dorer. Ajouter la chicorée en lanières, l'huile de noix et les noix de Grenoble. Faire cuire 1 minute, puis ajouter le vinaigre de xérès. Assaisonner de poivre noir au goût.

Dresser 6 feuilles entières de chicorée dans chaque assiette et déposer la salade de chicorée chaude au milieu. Parsemer de ciboulette. Servir immédiatement.

Par portion : 203 kcal, 13 g de gras, 1 g de gras saturés, 17 g de glucides, 0,14 g de sodium

Pétoncles sur une salade d'avocat, de betteraves et d'oranges

Superbes couleurs, superbes textures et un peu de luxe. **Donne 2 portions**

Jus et zeste râpé de 1 orange

Jus et zeste râpé de 1 lime

15 ml (1 c. à soupe) d'huile de noix

7 ml (½ c. à soupe) d'huile d'olive

1 échalote, en petits dés

Poivre noir fraîchement moulu

2 petites betteraves cuites, non marinées, en dés de 1 cm (½ po)

2 oranges navel, pelées, parées, chacune détaillée à l'horizontale en 5 tranches

½ avocat, pelé et en dés

4 gros pétoncles

Huile d'olive en vaporisateur (voir page 17)

10 ml (2 c. à thé) d'aneth haché

Fouetter ensemble les jus et les zestes d'orange et de lime, l'huile de noix, l'huile d'olive et l'échalote ; assaisonner de poivre noir au goût. Ajouter les betteraves et laisser mariner quelques heures jusqu'à ce que la vinaigrette ait pris une teinte rougeâtre.

Dresser la moitié des tranches d'orange dans chaque assiette et parsemer des dés d'avocat.

Assaisonner les pétoncles de poivre noir. Faire chauffer une poêle antiadhésive à feu vif et la vaporiser légèrement d'huile d'olive. Y faire revenir les pétoncles 1 ½ minute de chaque côté jusqu'à ce qu'ils soient croustillants et dorés, mais encore opaques au milieu. Juste avant de servir, déposer les betteraves en sauce sur l'avocat, dresser deux pétoncles dans chaque assiette et garnir d'aneth.

Par portion : 270 kcal, 16 g de gras, 2 g de gras saturés, 19 g de glucides, 0,15 g de sodium

Sardines épicées avec salade de pois chiches et d'avocat

Une superbe combinaison méditerranéenne qui est aussi savoureuse si elle est préparée avec des sardines en conserve. Les sardines et les pois chiches regorgent également de nutriments bénéfiques. Servir comme plat principal.

Donne 4 portions

Huile d'olive en vaporisateur (voir page 17)

1 piment chili rouge, en dés

2 échalotes, émincées

15 ml (1 c. à soupe) de persil plat, haché finement

15 ml (1 c. à soupe) de feuilles de coriandre hachées finement

3 gousses d'ail, écrasées

8 sardines, parées

Jus de 1 citron

Pour la salade de pois chiches et d'avocat :

Jaune de 1 œuf dur

45 ml (3 c. à soupe) d'huile d'olive

30 ml (2 c. à soupe) de vinaigre de vin rouge

½ oignon rouge, haché finement

1 gousse d'ail, écrasée

30 ml (2 c. à soupe) de persil plat haché

15 ml (1 c. à soupe) de petites câpres, égouttées et rincées

400 g (14 oz) de pois chiches en conserve, égouttés et rincés

1 avocat mûr, pelé et coupé en gros dés

1 pincée de sel

Poivre noir fraîchement moulu

Pour préparer la salade, dans un bol, battre le jaune d'œuf, l'huile et le vinaigre. Incorporer l'oignon, l'ail, le persil, les câpres, les pois chiches et l'avocat. Saler et poivrer au goût.

Préchauffer le four à 180 °C / 350 °F / 4 au four à gaz.

Vaporiser légèrement une petite poêle d'huile d'olive, puis y faire ramollir sans colorer le piment chili et les échalotes. Incorporer le persil, la coriandre et l'ail ; poivrer puis étaler sur la chair des poissons.

Rouler les sardines et les maintenir avec 2 cure-dents en bois ayant trempé dans de l'eau. Faire cuire au four de 5 à 8 minutes, puis dresser dans un plat et arroser de jus de citron.

Pour servir, déposer un peu de salade dans chaque assiette et garnir de deux sardines roulées.

Par portion : 407 kcal, 28 g de gras, 4 g de gras saturés, 13 g de glucides, 0,45 g de sodium

Salade de fruits de mer méditerranéenne

Un équilibre particulier de saveurs dans un plat excellent pour la santé. L'alimentation méditerranéenne est l'une des plus saines du monde, avec son mélange de poisson frais, d'huile d'olive et de légumes colorés. **Donne 6 portions**

125 ml (½ tasse) de vin blanc sec

1 kg (2 lb) de moules, nettoyées

6 calmars, coupés en anneaux

18 crevettes tigrées, décortiquées

6 pétoncles, coupés en deux

175 g (6 oz) de coques en conserve (ou de bébés palourdes) écaillées et égouttées

125 g (¼ de lb) de chair de crabe blanche, cuite

3 gousses d'ail, écrasées

2 piments chilis rouges, tranchés finement

½ oignon rouge, en dés

45 ml (3 c. à soupe) d'huile d'olive

15 ml (1 c. à soupe) de jus de citron

Poivre noir fraîchement moulu

30 ml (2 c. à soupe) de persil haché

Laitue croquante

Dans une grande casserole, porter le vin blanc à ébullition, ajouter les moules, couvrir et faire cuire 5 minutes ou jusqu'à ce que les moules soient ouvertes. Retirer les moules de la casserole, jeter celles qui sont demeurées fermées, réserver les autres ainsi que le liquide de cuisson. Lorsque les moules sont suffisamment refroidies pour être manipulées, les écailler.

Dans le liquide de cuisson bouillant dans la casserole, faire cuire les calmars, les crevettes et les pétoncles 1 minute. Les égoutter (ne pas jeter le liquide de cuisson), laisser les fruits de mer refroidir et les mélanger aux moules, aux coques ou aux palourdes et à la chair de crabe blanche.

Faire bouillir le liquide de cuisson des moules jusqu'à ce qu'il ne reste qu'environ 60 ml (¼ de tasse). Incorporer l'ail, les piments chilis, l'oignon, l'huile d'olive et le jus de citron. Verser sur les fruits de mer et mélanger. Réfrigérer 30 minutes, assaisonner de poivre noir et incorporer le persil haché.

Servir sur un lit de laitue croquante avec du pain complet croustillant chaud pour tremper dans la sauce.

Par portion : 243 kcal, 9 g de gras, 1 g de gras saturés, 4 g de glucides, 0,46 g de sodium

Salade chaude d'asperges, de champignons sauvages et de pois frais

Une salade originale et printanière, surtout à la saison des asperges et des pois frais. Donne 2 portions

10 pointes d'asperges moyennes, parées

75 g (3 oz) de jeunes pois écossés

30 ml (2 c. à soupe) d'huile d'olive

1 gousse d'ail, en purée

4 champignons sauvages, sans les pieds, pelés au besoin

Poivre noir fraîchement moulu

2 tranches de pain complet

½ échalote, hachée finement

45 ml (3 c. à soupe) de martini sec (facultatif)

30 ml (2 c. à soupe) de yogourt pauvre en gras

7 ml (½ c. à soupe) de persil plat haché

7 ml (½ c. à soupe) de ciboulette ciselée

2 ml (½ c. à thé) d'estragon haché

7 ml (½ c. à soupe) de jus de citron

½ poignée de roquette

½ poignée de cresson

Faire cuire les asperges dans de l'eau bouillante 1 minute, égoutter, réserver ainsi que le jus de cuisson.

Mettre les pois dans le jus de cuisson des asperges et les faire cuire 2 minutes, égoutter et réserver.

Préparer le barbecue, le gril du four ou une poêle à fond cannelé.

Mélanger l'huile d'olive et l'ail et en badigeonner les asperges et les champignons. Assaisonner de poivre noir.

Faire griller ou cuire au barbecue les champignons 5 minutes de chaque côté, et les asperges 2 minutes de chaque côté. Conserver au chaud. Badigeonner les deux côtés des tranches de pain d'huile dans laquelle on fait macérer l'ail et les faire griller des deux côtés.

Dans une casserole, faire chauffer le reste d'huile aromatisée à l'ail, ajouter l'échalote et laisser cuire à feu moyen sans colorer. Ajouter le martini sec (facultatif), monter le feu et poursuivre la cuisson 1 minute. Retirer la casserole du feu et ajouter le yogourt un peu à la fois, en fouettant. Incorporer délicatement les pois, le persil, la ciboulette, l'estragon et le jus de citron. Assaisonner au goût. Faire réchauffer sur feu doux.

Mélanger la roquette et le cresson et répartir le mélange entre 2 assiettes. Couvrir d'une tranche de pain grillée. Répartir les champignons et les asperges entre les tranches de pain en les disposant joliment sur chacune des tranches. Garnir de pois et de sauce.

Par portion : 262 kcal, 14 g de gras, 2 g de gras saturés, 24 g de glucides, 0,22 g de sodium

Salade de melon à la thaïlandaise

J'ai eu l'idée de créer cette salade à la suite de mes visites en Thaïlande. Leurs saveurs vibrantes se marient bien avec le melon, créant une salade rafraîchissante. Puisqu'il s'agit d'une salade salée, diminuez votre quantité de sel pour le reste de la journée.

Donne 4 portions

2 gousses d'ail, écrasées

15 ml (1 c. à soupe) de miel liquide

10 ml (2 c. à thé) de nam pla (sauce de poisson thaïlandaise)

Jus de 2 limes

15 ml (1 c. à soupe) de zeste de lime râpé

2 piments chilis rouges, émincés

175 g (6 oz) de crevettes ou de langoustines décortiquées

50 g (2 oz) d'arachides rôties non salées

1 melon galia ou ogen, pelé et coupé en dés de 2,5 cm (1 po)

60 ml (¼ de tasse) de feuilles de coriandre hachées

15 ml (1 c. à soupe) de feuilles de menthe hachées

Dans un grand bol, mélanger l'ail, le miel, le nam pla, le jus et le zeste de lime et les piments chilis. Incorporer délicatement les crevettes et les arachides. Ajouter le melon et mélanger.
Garnir de coriandre et de menthe hachées. Conserver au réfrigérateur jusqu'au moment de servir.

Par portion : 162 kcal, 7 g de gras, 1 g de gras saturés, 10 g de glucides, 1,87 g de sodium

Salade de crevettes et de maïs *Cette salade est parfaite pour les gens pressés. Il suffit de mélanger tous les ingrédients dans un bol pour obtenir un repas santé en quelques minutes à peine. Rapide, simple et très goûteuse.*

Donne 2 portions

1 jaune d'œuf

30 ml (2 c. à soupe) d'huile d'olive

15 ml (1 c. à soupe) de jus de citron

7 ml (½ c. à soupe) de moutarde forte

30 ml (2 c. à soupe) de yogourt grec pauvre en gras

30 ml (2 c. à soupe) de ciboulette ciselée

30 ml (2 c. à soupe) d'aneth ciselé

15 ml (1 c. à soupe) de ciboule tranchée

12 crevettes surgelées, cuites

175 g (6 oz) de maïs frais ou surgelé, cuit

Fouetter ensemble le jaune d'œuf, l'huile, le jus de citron et la moutarde. Lorsque la sauce est émulsionnée, incorporer délicatement le yogourt.
Ajouter les fines herbes et la ciboulette et mélanger avec les crevettes et le maïs.

Par portion : 426 kcal, 19 g de gras, 3 g de gras saturés, 18 g de glucides, 1,57 g de sodium

Salade niçoise au thon frais

Cette salade est inspirée de la salade niçoise classique, qui utilise du thon en conserve. Le thon frais, bien entendu, contient beaucoup d'huile à base de gras oméga-3, de bons gras. À déguster comme plat principal avec du pain frais. **Donne 2 portions**

2 darnes de thon frais, chacune de 110 g (¼ de lb) et de 2,5 cm (1 po) d'épaisseur

4 pommes de terre nouvelles

2 œufs, à la température ambiante

50 g (2 oz) de haricots verts extrafins, parés

2 petits cœurs de laitue Gem, coupés en quartiers dans le sens de la longueur et séparés en feuilles

2 tomates italiennes, hachées grossièrement

½ oignon rouge, tranché finement

4 filets d'anchois en conserve, égouttés, rincés et coupés en lanières dans le sens de la longueur

10 olives noires, dénoyautées

8 feuilles de basilic, déchiquetées

Pour la marinade :

30 ml (2 c. à soupe) d'huile d'olive

15 ml (1 c. à soupe) de vinaigre de vin rouge vieilli

15 ml (1 c. à soupe) de persil plat haché

15 ml (1 c. à soupe) de ciboulette ciselée

1 gousse d'ail, hachée finement

Poivre noir fraîchement moulu

Pour préparer la marinade, mélanger au fouet, dans un bol, l'huile d'olive, le vinaigre, le persil, la ciboulette, l'ail et 5 ml (1 c. à thé) de poivre.

Mettre le thon dans un plat non métallique peu profond et l'arroser avec la moitié de la marinade. Couvrir d'une pellicule de plastique et réfrigérer 1 heure pour permettre aux saveurs de pénétrer dans le thon, en retournant les darnes une fois après 30 minutes environ.

Déposer les pommes de terre dans une casserole d'eau bouillante, couvrir et laisser mijoter de 10 à 12 minutes ou jusqu'à ce qu'elles soient tendres. Égoutter, puis détailler en quartiers dans le sens de la longueur.

Mettre les œufs dans une petite casserole et recouvrir tout juste d'eau bouillante, puis faire cuire 6 minutes. Égoutter et rincer sous l'eau froide, écaler et couper chacun d'eux en deux ; ils devraient être encore légèrement mous. Plonger les haricots verts dans une casserole d'eau bouillante et les faire blanchir 3 minutes environ, puis égoutter et passer sous l'eau froide.

Faire chauffer une poêle à fond cannelé 5 minutes. Retirer le thon de la marinade ; en secouer l'excédent. Faire cuire le thon 2 minutes environ de chaque côté, selon le degré de cuisson désiré.

Dresser les feuilles de laitue dans des assiettes de service ou dans un grand plateau et ajouter les pommes de terre, les haricots verts, les tomates, l'oignon et les anchois. Garnir des darnes de thon et arroser du reste de marinade. Pour servir, répartir dessus les œufs, les olives et le basilic.

Par portion : 442 kcal, 25 g de gras, 5 g de gras saturés, 21 g de glucides, 0,71 g de sodium

Salade de poulet asiatique

Riche des saveurs d'Orient : papaye, coriandre, menthe, piment chili et lime, cette salade simple à préparer est vraiment délicieuse. Parfaite pour un repas léger ou comme entrée. **Donne 4 portions**

450 g (1 lb) de poulet en fines lanières (voir le Poulet irrésistible, page 116)
1 carotte, en julienne
½ asimine ou papaye verte, pelée et en julienne
45 ml (3 c. à soupe) de menthe hachée
45 ml (3 c. à soupe) de feuilles de coriandre hachées
1 botte de ciboules, tranchées
½ céleri-rave, en julienne
25 g (1 oz) d'arachides non salées, hachées grossièrement
Poivre noir fraîchement moulu

Pour la sauce :

10 ml (2 c. à thé) d'ail haché finement
15 ml (1 c. à soupe) de piment chili haché finement
150 ml (5 oz) de jus de lime
30 ml (2 c. à soupe) de nam pla (sauce de poisson thaïlandaise) ou de sauce soja légère pauvre en sel
15 ml (1 c. à soupe) de miel liquide

Pour préparer la sauce, mélanger tous les ingrédients dans un bol.

Dans un bol plus grand, mélanger le reste des ingrédients avec suffisamment de sauce pour les enrober et bien assaisonner de poivre noir au goût.

Par portion : 297 kcal, 12 g de gras, 3 g de gras saturés, 12 g de glucides, 0,69 g de sodium

Chou râpé asiatique

Une variante saine de la traditionnelle salade de chou à la mayonnaise. Cette recette met en valeur les délicieuses saveurs d'Extrême-Orient, où l'alimentation est pauvre en gras saturés, un modèle que les Occidentaux feraient bien d'imiter. **Donne 2 portions**

225 g (½ lb) de pak choï, en fines lanières
110 g (¼ de lb) de carottes, en julienne
4 échalotes, tranchées
7 ml (½ c. à soupe) de gingembre fraîchement râpé
30 ml (2 c. à soupe) de feuilles de basilic en fines lanières
30 ml (2 c. à soupe) de feuilles de coriandre
15 ml (1 c. à soupe) de feuilles de menthe

1 gousse d'ail, hachée
1 piment chili fort, épépiné et finement haché
Jus et zeste râpé de 1 orange
Jus de 2 limes
15 ml (1 c. à soupe) de nam pla (sauce de poisson thaïlandaise)
2 ml (½ c. à thé) de sucre
30 ml (2 c. à soupe) d'huile de noix
Poivre noir fraîchement moulu
15 ml (1 c. à soupe) d'arachides rôties broyées

Mélanger le pak choï dans un bol avec les carottes, les échalotes, le gingembre, le basilic, la coriandre, la menthe, l'ail, le piment fort et le zeste d'orange.

Dans un petit bol, fouetter ensemble le jus d'orange, le jus de lime, le nam pla et le sucre. Incorporer délicatement au fouet l'huile jusqu'à ce qu'elle soit émulsionnée.

Bien mélanger au pak choï. Poivrer. Couvrir et réfrigérer de 2 à 6 heures.

Juste avant de servir, parsemer d'arachides rôties broyées.

Par portion : 222 kcal, 16 g de gras, 3 g de gras saturés, 16 g de glucides, 0,82 g de sodium

3

Repas légers et entrées

Caviar de champignons

Une excellente variante des nombreuses trempettes qui existent déjà, qui est beaucoup plus saine. Bien que la texture puisse ressembler à du caviar, elle n'a rien à voir avec le poisson ou les œufs de poisson.

Donne 4 portions

15 ml (1 c. à soupe) d'huile d'olive	110 g (¼ de lb) de champignons sauvages, hachés grossièrement
½ oignon, en petits dés	
2 gousses d'ail, émincées	15 ml (1 c. à soupe) de vinaigre balsamique
5 ml (1 c. à thé) de feuilles de thym	Poivre noir fraîchement moulu

Faire chauffer l'huile dans une casserole profonde à feu moyen. Y faire cuire l'oignon, l'ail et le thym sans les faire brunir.

Ajouter les champignons, mélanger, puis augmenter le feu. Faire cuire pendant 10 minutes ou jusqu'à ce que les champignons aient rendu leur liquide. Ajouter le vinaigre balsamique et poursuivre la cuisson jusqu'à ce que le liquide soit tout évaporé. Assaisonner de poivre noir au goût.

Hacher grossièrement le mélange au robot culinaire. Servir chaud ou à la température ambiante avec du pain complet frais ou des galettes d'avoine.

Par portion : 39 kcal, 3 g de gras, 0,4 g de gras saturés, 3 g de glucides, 0 g de sodium

Asperges à la sauce aux poivrons rouges

Les poivrons rouges ajoutent une douceur naturelle aux asperges, un mariage merveilleux et une combinaison de couleurs fantastique. Se déguste comme entrée ou pour accompagner un plat principal. **Donne 4 portions**

2 poivrons rouges, épépinés et hachés grossièrement	15 ml (1 c. à soupe) de vinaigre de xérès
1 oignon, haché grossièrement	30 ml (2 c. à soupe) de jus de citron
2 gousses d'ail, écrasées	
1 piment chili rouge, émincé	330 g (¾ de lb) d'asperges, parées
12 feuilles de basilic, et un peu plus pour garnir	Poivre noir fraîchement moulu
15 ml (1 c. à soupe) d'huile de noix	

Mettre tous les ingrédients, sauf les asperges, dans une grande casserole non réactive (pas en aluminium), couvrir et laisser mijoter doucement 20 minutes, en remuant de temps en temps. Réduire en purée au robot culinaire. Passer dans un chinois et réserver ; conserver au chaud si vous le désirez.

Faire cuire les asperges dans de l'eau bouillante 6 minutes, puis les égoutter. À la cuillère, répartir la sauce aux poivrons rouges (chaude ou froide) entre 4 assiettes et garnir des asperges. Parsemer de feuilles de basilic et saupoudrer de poivre noir moulu.

Par portion : 79 kcal, 4 g de gras, 0,3 g de gras saturés, 9 g de glucides, 0,01 g de sodium

Bruschetta avec purée de haricots et champignons
Une version riche en fibres, beaucoup plus saine et plus savoureuse que la version classique.

Donne 4 portions

30 ml (2 c. à soupe) d'huile d'olive

2 gousses d'ail, 1 hachée et l'autre coupée en deux

5 ml (1 c. à thé) de feuilles de romarin, hachées finement

425 g (15 oz) de haricots cannellini en conserve, rincés et égouttés

150 ml (5 oz) de bouillon de légumes

Poivre noir fraîchement moulu

50 g (2 oz) de champignons de Paris, nettoyés et tranchés

Jus de ½ citron

15 ml (1 c. à soupe) de feuilles d'origan hachées

4 tranches épaisses de pain de campagne complet, frais

Dans une casserole, mélanger 15 ml (1 c. à soupe) d'huile d'olive, l'ail haché et le romarin et faire cuire à feu doux jusqu'à ce que l'ail soit tendre sans être coloré.

Ajouter les haricots et le bouillon, mélanger, faire cuire 10 minutes environ. Si le mélange est trop sec, ajouter un peu de bouillon de légumes pour l'humecter. Écraser au pilon ou au robot culinaire pour obtenir une purée grossière. Assaisonner au goût de poivre noir moulu.

Entre-temps, mélanger les champignons tranchés avec le reste de l'huile d'olive, le jus de citron, l'origan et un peu de poivre noir.

Faire griller le pain sur les deux faces et le frotter avec la gousse d'ail coupée en deux. Garnir de purée de haricots, puis de la préparation aux champignons. Servir avec quelques feuilles de laitue.

Par portion : 225 kcal, 7 g de gras, 1 g de gras saturés, 32 g de glucides, 0,36 g de sodium

Ragoût d'artichauts aux épices, abricots et autres délices

Un délicieux ragoût végétarien épicé et nutritif qu'il vaut la peine de préparer. **Donne 4 portions**

4 gros artichauts

Jus de 1 citron, l'écorce réservée

2 gousses d'ail, tranchées finement

10 grains de poivre noir

12 graines de coriandre, rôties

2 ml (½ c. à thé) de curcuma moulu

½ ml (⅛ c. à thé) de poivre de Cayenne

2 ml (½ c. à thé) de graines de cumin, rôties

2 oignons, coupés en huit

2 feuilles de laurier

50 ml (2 oz) d'huile d'olive

1 pincée de safran en filaments, ayant trempé dans un peu d'eau froide

2 carottes, tranchées

600 ml (2 ⅓ tasses) de bouillon de légumes

8 abricots séchés, tranchés

50 g (2 oz) de raisins secs

25 g (1 oz) d'amandes, effilées

400 g (14 oz) de pois chiches en conserve, égouttés et rincés

225 g (½ lb) de mini-épinards

30 ml (2 c. à soupe) de feuilles de coriandre grossièrement hachées

60 ml (¼ de tasse) de persil plat grossièrement haché

Préparer les artichauts en pelant la tige jusqu'à ce que toute partie fibreuse soit enlevée. Retirer les feuilles extérieures dures jusqu'aux feuilles vert pâle. Couper une calotte d'environ 2,5 cm (1 po) sur le dessus des artichauts. Couper les artichauts verticalement en 4, puis retirer le foin. Frotter toutes les surfaces coupées avec l'écorce de citron et mettre les artichauts en quartiers dans un bol rempli d'eau. Ajouter le jus de citron.

Avec un mortier et un pilon ou au moulin à café, écraser l'ail, le poivre en grains, les graines de coriandre, le curcuma, le poivre de Cayenne et les graines de cumin.

Dans une casserole, faire cuire les oignons et les feuilles de laurier dans l'huile d'olive, à feu moyen, jusqu'à ce qu'ils soient tendres mais pas colorés, 8 minutes environ. Ajouter le mélange aux épices et poursuivre la cuisson 3 minutes.

Ajouter les artichauts égouttés et le safran avec son liquide de trempage et bien mélanger. Ajouter les carottes, la moitié du bouillon de légumes, les abricots, les raisins secs et les amandes et laisser mijoter, à couvert, 20 minutes environ, en remuant de temps en temps. Ajouter du bouillon au besoin.

Lorsque les artichauts sont tendres, incorporer les pois chiches, les épinards, les feuilles de coriandre et le persil. Faire cuire jusqu'à ce que les épinards soient flétris. Assaisonner de poivre noir au goût. Servir chaud ou froid avec du couscous à la vapeur.

Par portion : 416 kcal, 19 g de gras, 2 g de gras saturés, 46 g de glucides, 0,52 g de sodium

Poivrons farcis de brandade

La brandade se prépare en battant du lait, de l'huile d'olive et du poisson poché pour obtenir une pâte. Le poisson est habituellement de la morue salée, mais il est aussi possible d'utiliser de la morue fraîche ou de l'aiglefin. **Donne 4 portions**

2 pommes de terre, coupées en dés de 2,5 cm (1 po)

350 g (¾ de lb) de morue fraîche

150 ml (5 oz) de lait semi-écrémé

2 gousses d'ail, écrasées

Jus de 1 citron

30 ml (2 c. à soupe) d'huile d'olive

50 g (2 oz) d'amandes moulues (facultatif)

Poivre noir fraîchement moulu

4 poivrons rôtis, égouttés

Quartiers de citron, pour servir

Faire cuire les pommes de terre dans de l'eau jusqu'à ce qu'elles soient tendres. Écraser et réserver.

Mettre la morue dans une poêle peu profonde, ajouter le lait et porter à ébullition. Retirer du feu et laisser la morue refroidir dans le lait.

Lorsque la morue est suffisamment refroidie pour être manipulée, la retirer du lait et l'émietter dans un grand bol. Ajouter l'ail, le jus de citron, l'huile d'olive et les amandes (facultatif) et bien mélanger. Incorporer les pommes de terre écrasées pour obtenir une pâte épaisse. Assaisonner de poivre noir au goût.

Farcir chaque poivron de brandade et servir à la température ambiante, garni de quartiers de citron.

Par portion : 332 kcal, 20 g de gras, 3 g de gras saturés, 19 g de glucides, 1,28 g de sodium

« Gâteau » aux œufs, aux asperges et aux épinard

D'inspiration italienne, ce plat est semblable à la frittata, les œufs liant les asperges et les épinards pour obtenir un « gâteau ». Super pour un repas léger. **Donne 4 portions**

225 g (½ lb) d'asperges, en morceaux de 2,5 cm (1 po)

1 échalote, émincée finement

10 g (½ oz) de beurre non salé

2 poignées d'épinards, les tiges épaisses enlevées

5 ml (1 c. à thé) de feuilles de thym frais

5 gros œufs, battus

15 ml (1 c. à soupe) de lait écrémé

15 ml (1 c. à soupe) de parmesan râpé

Poivre noir fraîchement moulu

Préchauffer le four à 200 °C / 400 °F / 6 au four à gaz.

Faire blanchir les asperges dans de l'eau bouillante 3 minutes, puis les passer sous l'eau froide pour arrêter la cuisson. Égoutter.

Faire revenir l'échalote dans du beurre jusqu'à ce qu'elle soit tendre mais pas colorée, puis ajouter les épinards et les feuilles de thym et faire cuire jusqu'à ce que les feuilles soient flétries. Exprimer le liquide des épinards et verser la préparation égouttée dans un plat allant au four peu profond légèrement beurré. Disposer les asperges sur les épinards.

Battre les œufs, puis les mélanger avec le lait et le parmesan. Assaisonner de poivre noir et verser sur les légumes. Soulever légèrement les légumes pour permettre aux œufs de couvrir le fond du plat.

Faire cuire au four 15 minutes environ ou jusqu'à ce que les œufs soient cuits. Ce plat peut se manger chaud, froid ou à la température ambiante.

Par portion : 162 kcal, 12 g de gras, 4 g de gras saturés, 2 g de glucides, 0,16 g de sodium

Rouleaux de saumon fumé à l'orientale

En canapés, comme goûters ou au brunch, ces rouleaux sont parfaits pour toutes les occasions. Assurez-vous que la couleur fraîche des radis, de l'asimine et du concombre se voie.

Donne 24 rouleaux

1 asimine ou papaye verte pelée et coupée en allumettes

½ concombre, pelé et coupé en allumettes

8 radis, tranchés finement

125 ml (½ tasse) de vinaigre de vin de riz

Jus et zeste de 3 limes

15 ml (1 c. à soupe) de sauce soja pauvre en sel

15 ml (1 c. à soupe) de miel liquide

6 ciboules, en filaments

350 g (¾ de lb) de saumon fumé, en longues lanières

48 feuilles de menthe

48 feuilles de coriandre

Mélanger la papaye, le concombre et les radis dans un bol.
Fouetter ensemble le vinaigre de vin de riz, le jus et le zeste de lime, la sauce soja et le miel, puis verser sur la salade de papaye et laisser reposer 2 heures. Égoutter et incorporer les ciboules.
Couper le saumon fumé en lanières de 7,5 cm (3 po). Déposer 2 feuilles de chacune des fines herbes sur le saumon, garnir d'un peu de légumes marinés et rouler serré. Couvrir et réfrigérer jusqu'au moment de servir.

Par rouleau : 28 kcal, 0,7 g de gras, 0,1 g de gras saturé, 2 g de glucides, 0,3 g de sodium

Galettes de saumon et d'aiglefin

Servir avec la Salsa verde (page 62). Donne 4 portions

275 g (10 oz) de filet d'aiglefin fumé

175 g (6 oz) de filet de saumon

600 ml (2 ⅓ tasses) de lait écrémé

1 oignon, tranché

1 carotte, hachée

1 feuille de laurier

5 ml (1 c. à thé) de poivre noir en grains

2 clous de girofle

30 ml (2 c. à soupe) d'huile d'olive

2 œufs

275 g (10 oz) de pommes de terre, cuites et réduites en purée

10 ml (2 c. à thé) d'essence d'anchois

2 œufs durs, écalés et hachés

30 ml (2 c. à soupe) de persil haché

15 ml (1 c. à soupe) d'aneth haché

Poivre noir fraîchement moulu

Farine

Panure de pain complet

Mettre l'aiglefin et le saumon dans une grande poêle ou dans une rôtissoire. Couvrir de lait. Ajouter le tiers de l'oignon, la carotte, la feuille de laurier, le poivre en grains et les clous de girofle. Porter à ébullition et laisser mijoter 6 minutes. Laisser refroidir légèrement.
Couper le reste de l'oignon en dés. Faire chauffer la moitié de l'huile d'olive dans une casserole et faire suer l'oignon jusqu'à ce qu'il soit tendre, de 6 à 8 minutes environ.
Retirer le poisson du lait et l'émietter; jeter la peau et les arêtes. Filtrer le liquide de cuisson et réserver.
Battre un des œufs. Mélanger l'aiglefin avec les pommes de terre en purée et l'oignon attendri, l'œuf battu et l'essence d'anchois. Incorporer délicatement les œufs durs, le persil et l'aneth. Poivrer au goût. Si le mélange est trop sec, ajouter un peu de fumet de poisson. Diviser le mélange en quatre et façonner en galettes.
Battre le dernier œuf avec un peu d'eau dans un bol.
Assaisonner la farine et la mettre dans une assiette. Mettre la panure dans une autre assiette. Enrober les galettes de farine, puis d'œuf, ensuite de panure. Réfrigérer 2 heures.
Faire frire les galettes dans le reste d'huile d'olive 5 minutes de chaque côté, conserver au chaud dans le four.

Par portion : 424 kcal, 20 g de gras, 5 g de gras saturés, 28 g de glucides, 0,91 g de sodium

Sardines farcies *Cette farce aux noix et aux raisins de Corinthe est d'influence marocaine. Les sardines sont un poisson gras riche en acides gras oméga-3. Donne 4 portions en entrée (2 comme plat principal)*

1 oignon rouge, haché très finement

45 ml (3 c. à soupe) d'huile d'olive

30 g (1 oz) de panure de pain complet

75 ml (5 c. à soupe) de raisins de Corinthe, ayant trempé dans de l'eau 15 minutes s'ils sont très secs

45 ml (3 c. à soupe) de noix de pin

1 botte de persil, haché

75 ml (5 c. à soupe) de jus d'orange et de citron mélangés

Poivre noir fraîchement moulu

Huile d'olive en vaporisateur (voir page 17)

12 sardines, parées

½ citron, en tranches de 5 mm (¼ de po) d'épaisseur

½ orange, en tranches de 5 mm (¼ de po) d'épaisseur

12 feuilles de laurier fraîches ou 6 séchées, brisées en deux

Dans une casserole, faire suer l'oignon dans l'huile d'olive. Ajouter la panure et poursuivre la cuisson de 2 à 3 minutes. Retirer du feu et ajouter les raisins de Corinthe, les noix de pin et le persil. Arroser du jus d'agrumes et mélanger. Assaisonner de poivre noir et bien mélanger. Laisser refroidir.

Préchauffer le four à 200 °C / 400 °F / 6 au four à gaz.

Enduire légèrement un plat allant au four d'huile d'olive en vaporisateur. Farcir chaque sardine de 5 à 10 ml (1 à 2 c. à thé) de farce. Rouler chaque poisson de la tête vers la queue. Les entasser serrés dans le plat, les queues dirigées dans la même direction. Les parsemer du reste de farce. Déposer les rondelles d'orange et de citron et les feuilles de laurier autour des sardines et entre elles. Faire cuire au four de 10 à 15 minutes ou jusqu'à ce que les sardines soient dorées.

Servir chaud ou à la température ambiante.

Par portion : 489 kcal, 29 g de gras, 5 g de gras saturés, 25 g de glucides, 0,23 g de sodium

Sardines crémeuses sur rôties *Les sardines n'ont jamais eu aussi bon goût. Les sardines en conserve contiennent aussi des gras oméga-3 et peuvent être apprêtées de multiples façon. Une entrée délicieuse. Donne 2 portions*

15 ml (1 c. à soupe) d'huile d'olive

½ oignon, en petits dés

5 ml (1 c. à thé) de feuilles de thym frais

45 ml (3 c. à soupe) de chapelure de pain complet

150 ml (5 oz) de yogourt nature pauvre en gras

1 petite boîte de sardines, égouttées et écrasées

2 œufs durs, écalés et hachés

Poivre noir fraîchement moulu

2 tranches de pain complet

Faire chauffer l'huile d'olive dans une poêle, ajouter l'oignon et le thym et faire cuire jusqu'à ce que l'oignon soit tendre mais pas doré. Ajouter le reste des ingrédients, sauf le pain, et bien faire réchauffer en mélangeant. Assaisonner de poivre noir au goût.

Préchauffer le gril. Faire griller le pain, puis répartir le mélange sur les tranches de pain. Passer au gril chaud jusqu'à ce que la préparation bouillonne. Servir chaud.

Par portion : 442 kcal, 23 g de gras, 5 g de gras saturés, 29 g de glucides, 0,73 g de sodium

Moules à la vapeur

Cette recette est une variante des moules marinières traditionnelles. **Donne 4 portions en entrée (2 comme plat principal)**

15 ml (1 c. à soupe) d'huile d'olive

1 oignon, en petits dés

4 filets d'anchois en conserve, égouttés, rincés et hachés

4 grosses gousses d'ail, hachées

1 piment chili rouge, haché

1 verre de vin blanc

150 ml (5 oz) de fumet de poisson

1 kg (2 lb) de moules, nettoyées

60 ml (¼ de tasse) de persil haché finement

Poivre noir fraîchement moulu

Faire chauffer l'huile d'olive dans une grande casserole à feu moyen. Ajouter l'oignon, les anchois, l'ail et le piment chili et faire cuire jusqu'à ce que l'oignon soit tendre mais pas doré. Mouiller avec le vin et le fumet de poisson et porter à ébullition. Laisser mijoter 5 minutes, puis ajouter les moules et couvrir. Monter le feu et faire cuire approximativement 5 minutes, en secouant la casserole de temps en temps.

Retirer les moules avec une cuillère à égoutter et les mettre dans des bols chauds ; jeter celles qui sont restées fermées.

Faire bouillir le reste du liquide 2 minutes, puis ajouter le persil et assaisonner de poivre noir moulu. Verser sur les moules et servir avec du pain complet.

Par portion : 130 kcal, 5 g de gras, 1 g de gras saturés, 6 g de glucides, 0,39 g de sodium

Sardines aux tomates et à l'oignon rouge

Ce plat est idéal comme repas léger et simple à préparer avec des ingrédients que vous avez probablement sous la main.

Donne 4 portions

500 g (1 lb) de tomates italiennes, tranchées

½ oignon rouge, tranché finement

2 boîtes de sardines, égouttées et rincées

3 pincées d'origan séché

1 pincée de chili rouge séché en flocons

Poivre noir fraîchement moulu

Vinaigre balsamique, au goût

Feuilles de marjolaine fraîche

1 poignée d'olives noires

Dresser les tranches de tomate dans une assiette de service de sorte qu'elles se chevauchent. Parsemer de tranches d'oignon rouge. Disposer délicatement les sardines sur les tomates. Les parsemer d'origan, de chili en flocons et de poivre noir fraîchement moulu.

Arroser d'un peu de vinaigre balsamique. Garnir de quelques feuilles de marjolaine fraîche et d'olives noires. Servir à la température ambiante.

Par portion : 192 kcal, 11 g de gras, 2 g de gras saturés, 6 g de glucides, 0,47 g de sodium

Brochettes de thon au citron mariné et à la menthe

Super pour un barbecue, ces brochettes sont à la fois goûteuses et nutritives. Le thon et les tomates sont un must *méditerranéen, surtout lorsque le soleil est au rendez-vous !* Donne 4 portions

4 citrons marinés

1 botte de menthe, les feuilles seulement

4 gousses d'ail, hachées grossièrement

2 ml (½ c. à thé) de chili rouge séché en flocons

15 ml (1 c. à soupe) d'huile d'olive

1 kg (2 lb) de filet de thon, en 16 cubes de même grosseur

12 feuilles de laurier

12 tomates cerises

Couper en deux les citrons marinés, les évider et jeter la chair. **Couper** l'écorce de 3 citrons en 12 morceaux de même taille. Au mélangeur, réduire en purée l'écorce du 4e citron, la menthe, l'ail, le chili en flocons, l'huile et 30 ml (2 c. à soupe) d'eau. Verser dans un bol, puis ajouter le thon et laisser mariner 20 minutes.

Enfiler 1 cube de thon sur une brochette de bambou ayant trempé dans de l'eau. Piquer ensuite 1 feuille de laurier, 1 tomate et 1 morceau d'écorce de citron. Recommencer trois fois et terminer par un morceau de thon. Préparer 3 autres brochettes de la même façon.

Préchauffer le gril au maximum ou faire chauffer une grande poêle ou une poêle à fond cannelé. Y faire noircir les brochettes 1 minute de chaque côté pour une cuisson médium-saignant ou selon de degré de cuisson désiré. Servir avec de la laitue.

Par portion : 393 kcal, 15 g de gras, 4 g de gras saturés, 5 g de glucides, 0,52 g de sodium

Rôties aux anchois

Un plat inhabituel qui regorge de délicieuses saveurs. Les anchois se vendent habituellement en conserve, mais les anchois frais sont un mets fin au Portugal, en Espagne et en Turquie. Donne 4 portions en entrée (2 comme plat principal)

4 figues séchées, hachées grossièrement

15 ml (1 c. à soupe) de Pernod

60 ml (¼ de tasse) de thé vert

50 g (2 oz) d'amandes entières, rôties

25 g (1 oz) de noix de macadamia

4 ciboules, hachées grossièrement

2 gousses d'ail, hachées grossièrement

5 ml (1 c. à thé) de feuilles d'estragon

5 ml (1 c. à thé) de feuilles d'aneth

5 ml (1 c. à thé) de feuilles de persil plat

2 tomates séchées au soleil, égouttées

3 piments cerises, épépinés

Jus et zeste de 2 limes

15 ml (1 c. à soupe) d'huile d'olive

4 tranches de pain complet, rôties

8 filets d'anchois en conserve, égouttés, rincés et tranchés en deux dans le sens de la longueur

Préchauffer le four à 200 °C / 400 °F / 6 au four à gaz.

Faire tremper les figues dans le Pernod et le thé pendant 2 heures. **Mélanger** les figues avec le reste des ingrédients, sauf les rôties et les anchois.

Tartiner le mélange aux figues sur les rôties et faire cuire au four 10 minutes. Couper chaque tranche en deux et garnir de filets d'anchois. Servir chaud.

Par portion : 315 kcal, 18 g de gras, 2 g de gras saturés, 30 g de glucides, 0,5 g de sodium

Truite en chemise de poivrons rouges

La truite est un poisson d'excellente valeur, au goût délicieux et riche en gras oméga-3. Avec les poivrons rouges et l'ail, le mélange est imbattable. **Donne 4 portions**

3 poivrons rouges, épépinés et en quartiers

50 g (2 oz) de noix de pin, rôties

50 g (2 oz) de panure

3 gousses d'ail, hachées finement

Huile d'olive en vaporisateur (voir page 17)

Poivre noir fraîchement moulu

4 truites en filets

Faire noircir les poivrons au four ou au-dessus de la flamme d'un rond de cuisinière au gaz. Les mettre dans un sac de papier et sceller. Laisser les poivrons suer 15 minutes, puis les peler. Réduire ensuite en purée au mélangeur.

Ajouter les noix de pin, la panure et l'ail et réduire en une purée lisse. Pendant que le mélangeur est en marche, ajouter l'huile d'olive en un mince filet. Poivrer au goût.

Frotter les deux côtés des filets de truite de purée de poivrons rouges. Réfrigérer 30 minutes.

Bien faire chauffer une plaque à fond cannelé, une grande poêle ou le barbecue. En vaporiser légèrement la surface d'huile d'olive et faire cuire la truite, le côté chair dessous, 3 minutes. Retourner avec précaution et poursuivre la cuisson 3 minutes.

Disposer dans un plat de service et servir avec des pâtes, du riz ou des pommes de terre nouvelles.

Par portion : 369 kcal, 16 g de gras, 3 g de gras saturés, 18 g de glucides, 0,2 g de sodium

Galettes de crabe au maïs et au chili

J'ai toujours eu un faible pour les galettes de crabe. Celles-ci peuvent se préparer une journée à l'avance et être réfrigérées. La chair blanche provient des pinces et la brune, du corps. Servir avec une salade verte. **Donne 6 portions**

450 g (1 lb) de chair de crabe blanche

225 g (½ lb) de chair de crabe brune

1 piment chili, en petits dés

1 oignon, en petits dés

½ poivron rouge, épépiné et en petits dés

2 branches de céleri, en petits dés

200 g (7 oz) de maïs en conserve, égoutté

10 ml (2 c. à thé) d'aneth haché

150 ml (5 oz) de yogourt grec pauvre en gras

5 ml (1 c. à thé) de moutarde en poudre

2 œufs, légèrement battus

50 g (2 oz) de panure de pain complet

45 ml (3 c. à soupe) d'huile de colza

Poivre noir fraîchement moulu

Dans un grand bol, mélanger la chair de crabe blanche et brune, le piment chili, l'oignon, le poivron rouge, le céleri, le maïs et l'aneth.

Mélanger le yogourt, la moutarde en poudre et les œufs dans un autre bol, et incorporer lentement la moitié de l'huile. Ajouter la préparation au crabe et bien mélanger. Incorporer doucement le tiers de la panure, ou plus pour que le mélange soit ferme, et assaisonner au goût de poivre noir. Réfrigérer idéalement 2 heures.

Façonner le mélange en 6 grosses galettes ou 12 petites. Enrober de chapelure. Ces galettes peuvent se préparer bien à l'avance ; à cette étape, réfrigérer une nuit pour qu'elles sèchent.

Faire chauffer le reste de l'huile dans une grande poêle à feu moyen et y faire cuire les galettes 3 minutes de chaque côté. Servir chaud.

Par portion : 306 kcal, 16 g de gras, 3 g de gras saturés, 14 g de glucides, 0,64 g de sodium

Pâté de foies de volaille

À mon avis, voici le pâté le plus facile à préparer ; il ne faut que quelques minutes pour le réaliser et il se déguste chaud ou froid avec des marinades, des craquelins ou du pain complet bien frais. Idéal pour un goûter ou un repas léger. **Donne 4 portions**

Huile de colza en vaporisateur (voir page 17)

225 g (½ lb) de foies de poulet, parés

300 ml (1 ¼ tasse) de lait écrémé

3 jaunes d'œufs

1 échalote, hachée finement

1 gousse d'ail, hachée finement

5 ml (1 c. à thé) de feuilles de thym frais

Poivre noir fraîchement moulu

25 g (1 oz) de panure fraîche

Préchauffer le four à 160 °C / 325 °F / 3 au four à gaz.

Vaporiser d'un peu d'huile 4 petits moules ou ramequins.

Au mélangeur, réduire en une purée lisse les foies de poulet, le lait, les jaunes d'œufs, l'échalote, l'ail et le thym. Assaisonner de poivre noir.

Filtrer dans une passoire fine, puis incorporer la panure.

Répartir la préparation entre les ramequins et les déposer dans une rôtissoire. Ajouter de l'eau chaude dans la rôtissoire jusqu'aux trois quarts des ramequins. Faire cuire au four jusqu'à ce que le pâté soit pris, 20 minutes environ.

Par portion : 150 kcal, 6 g de gras, 2 g de gras saturés, 9 g de glucides, 0,14 g de sodium

Poulet frit aux haricots noirs

Beaucoup de saveurs, mais peu de gras. **Donne 2 portions**

1 blanc d'œuf

15 ml (3 c. à thé) de farine de maïs

2 poitrines de poulet sans la peau, en lanières

300 ml (10 oz) d'eau

7 ml (½ c. à soupe) d'huile de noix

2 gousses d'ail, hachées

1 morceau de racine de gingembre de 2,5 cm (1 po) pelé et râpé

1 pincée de chili rouge séché en flocons

15 ml (1 c. à soupe) de haricots noirs chinois, hachés

1 carotte, tranchée en biais

½ poivron jaune, épépiné et taillé en losanges

½ poivron rouge, épépiné et taillé en losanges

125 ml (½ tasse) de bouillon de poulet

15 ml (1 c. à soupe) de sauce soja foncée pauvre en sel

30 ml (2 c. à soupe) de vinaigre de vin de riz

1 pincée de sucre

75 g (3 oz) de pois

4 ciboules, tranchées en biais

Battre légèrement le blanc d'œuf dans un bol non métallique avec la moitié de la farine de maïs. Ajouter le poulet, couvrir d'une pellicule de plastique et réfrigérer 30 minutes.

Mettre l'eau dans une casserole et porter à ébullition. Mélanger le poulet avec le blanc d'œuf et la farine, puis l'égoutter. Retirer la casserole du feu et ajouter le poulet en mélangeant pour éviter que la préparation ne s'amalgame, puis remettre la casserole sur le feu et faire cuire 1 ½ minute, ou jusqu'à ce que le poulet soit blanc et juste tendre. Égoutter sur du papier absorbant.

Faire chauffer un wok et y verser l'huile. Y faire revenir l'ail, le gingembre, le chili en flocons et les haricots noirs pendant 15 secondes. Ajouter la carotte et faire revenir 1 minute. Incorporer le poulet et les poivrons. Mouiller avec le bouillon, puis ajouter la sauce soja, le vinaigre et le sucre.

Monter le feu et porter à ébullition. Ramener ensuite à un frémissement. Ajouter les pois et les ciboules et faire cuire 2 minutes. Mélanger le reste de la farine de maïs avec 15 ml (1 c. à soupe) d'eau et incorporer au wok. Poursuivre la cuisson 1 minute.

Servir sans tarder avec du riz vapeur, dans des bols chinois.

Par portion : 289 kcal, 5 g de gras, 1 g de gras saturés, 22 g de glucides, 0,95 g de sodium

Fajitas au poulet et au chili

Les saveurs douces de la salsa atténuent le piquant de la marinade du poulet et aucun autre accompagnement n'est nécessaire. Faire cuire au barbecue ou dans une poêle à fond cannelé. **Donne 4 portions**

15 ml (1 c. à soupe) d'huile de piment chili

15 ml (1 c. à soupe) de poudre de chili forte

15 ml (1 c. à soupe) de paprika

1 pincée de sucre

Zeste râpé et jus de 1 lime

2 filets de poitrine de poulet sans la peau

4 tortillas de farine molles

¼ de petite laitue iceberg, en lanières

75 ml (3 oz) de yogourt nature pauvre en gras

Pour la salsa aux tomates et à l'avocat :

2 grosses tomates, épépinées et en petits dés

1 piment chili rouge, épépiné, haché finement

Jus de 1 lime

½ petit oignon rouge, haché finement

1 avocat mûr, pelé, dénoyauté et en petits dés

15 ml (1 c. à soupe) d'huile d'olive

120 ml (½ tasse) de feuilles de coriandre hachées grossièrement

Poivre noir fraîchement moulu

Faire tremper des brochettes en bambou de 15 cm (6 po) dans de l'eau toute la nuit.

Mélanger l'huile de piment, le chili en poudre, le paprika, le sucre et le zeste et le jus de lime dans un plat non métallique peu profond.

Couper chaque poitrine de poulet dans le sens de la longueur en 6 lanières. Ajouter à la préparation au chili et mélanger pour bien les enrober, puis couvrir d'une pellicule de plastique et réfrigérer de 1 à 2 heures.

Pour préparer la salsa aux tomates et à l'avocat, mettre tous les ingrédients dans un grand bol et mélanger doucement. Poivrer au goût et disposer dans un bol de service. Couvrir d'une pellicule de plastique et réserver pour permettre aux saveurs de se développer, mais ne pas préparer trop à l'avance, car l'avocat risque de noircir.

Faire chauffer une poêle à fond cannelé ou le barbecue. Enfiler 3 morceaux de poulet sur chaque brochette de bambou et les déposer dans la poêle ou sur la grille du barbecue. Faire cuire de 3 à 4 minutes de chaque côté ou jusqu'à ce que le poulet soit bien cuit et légèrement noirci.

Faire chauffer une poêle à frire ou à fond cannelé. Y faire chauffer une tortilla 30 secondes, jusqu'à ce qu'elle soit ramollie et malléable, en la retournant une fois. Recommencer avec le reste des tortillas et les empiler dans une assiette réchauffée. Dresser les brochettes de poulet dans un plat de service et servir à côté la salsa, les tortillas chaudes, la laitue et le yogourt afin de permettre à chacun d'assembler ses fajitas.

Par portion : 392 kcal, 15 g de gras, 2 g de gras saturés, 42 g de glucides, 0,27 g de sodium

Souvlakis d'agneau sur pain pita

Un souvenir de vacances en Grèce, du soleil brûlant, du sable blanc et de la mer chaude. Cette recette méditerranéenne offre un repas simple mais rassasiant, qui s'apporte bien dans une boîte à lunch ou en pique-nique. **Donne 2 portions**

225 g (½ lb) de filet d'agneau, coupé en tranches de 1 cm (½ po) d'épaisseur

½ oignon, râpé

3 gousses d'ail, réduites en pâte avec un peu de sel

5 ml (1 c. à thé) de poivre noir fraîchement moulu

5 ml (1 c. à thé) de cumin moulu

2 ml (½ c. à thé) de poivre de Cayenne

30 ml (2 c. à soupe) d'huile d'olive

2 pains pita complets

Jus de ½ citron

60 ml (¼ de tasse) de yogourt nature pauvre en gras

2 ml (½ c. à thé) de feuilles de menthe hachées

2 ml (½ c. à thé) de feuilles de coriandre hachées

3 ciboules, tranchées

Mélanger l'agneau avec l'oignon, l'ail, le poivre noir, le cumin, le poivre de Cayenne et 15 ml (1 c. à soupe) d'huile d'olive. Laisser mariner aussi longtemps que possible, pendant au moins 1 heure.

Faire chauffer le reste d'huile d'olive dans une casserole à fond épais et y faire cuire l'agneau 2 minutes de chaque côté. Faire réchauffer les pains pita, couper le bord pour former une poche. Remplir avec l'agneau, le jus de citron, le yogourt, les fines herbes et les ciboules.

Par portion: 478 kcal, 23 g de gras, 7 g de gras saturés, 38 g de glucides, 0,5 g de sodium

Linguine aux crevettes épicées *La sauce tomate, bien relevée, réveillera votre appétit et vous réchauffera les papilles.* Donne 4 portions

45 ml (3 c. à soupe) d'huile d'olive

10 ml (2 c. à thé) de chili rouge séché en flocons ou broyés

5 ml (1 c. à thé) de thym haché

400 g (14 oz) de tomates broyées en conserve

5 gousses d'ail, hachées finement

225 g (½ lb) de mini-épinards

Poivre noir fraîchement moulu

450 g (1 lb) de grosses crevettes, décortiquées et en papillon

225 g (½ lb) de linguine complètes sèches

30 ml (2 c. à soupe) de persil plat haché

Faire chauffer la moitié de l'huile dans une poêle à feu moyen. **Ajouter** le chili et faire cuire 1 minute. Ajouter le thym, les tomates et la moitié de l'ail et bien mélanger. Faire cuire 15 minutes environ, jusqu'à ce que la sauce soit réduite et épaisse. Incorporer doucement les épinards et faire cuire 3 minutes. Assaisonner de poivre noir au goût.

Dans une autre casserole, faire chauffer le reste de l'huile avec le reste de l'ail. Lorsque l'ail commence à dorer, ajouter les crevettes et faire cuire jusqu'à ce qu'elles soient roses, 2 minutes environ. Conserver au chaud.

Entre-temps, faire chauffer les linguine dans beaucoup d'eau bouillante jusqu'à ce qu'elles soient *al dente.* Égoutter et dresser dans un plat de service peu profond réchauffé.

Bien incorporer les crevettes, la sauce tomate et le persil. Servir immédiatement.

Par portion : 385 kcal, 11 g de gras, 2 g de gras saturés, 43 g de glucides, 0,47 g de sodium

Fettucine au brocoli pourpre *Le brocoli pourpre, une spécialité du printemps, vole la vedette aux autres variétés de brocoli. De plus, le brocoli en général est un des légumes les plus nutritifs.* Donne 4 portions

1 oignon, en petits dés

1 gousse d'ail, hachée finement

4 filets d'anchois en conserve, égouttés, rincés et hachés finement

10 ml (2 c. à thé) de câpres en conserve, égouttées, rincées et hachées

5 ml (1 c. à thé) de feuilles de romarin

15 ml (1 c. à soupe) de persil plat haché

15 ml (1 c. à soupe) d'huile d'olive

350 g (¾ de lb) de brocoli pourpre, en morceaux de 5 cm (2 po)

450 g (1 lb) de fettucine fraîches

Jus de ½ citron

Poivre noir fraîchement moulu

Copeaux de parmesan

Dans une casserole, faire cuire les 6 premiers ingrédients dans l'huile d'olive, jusqu'à ce que les oignons soient tendres sans être colorés.

Entre-temps, faire bouillir le brocoli dans beaucoup d'eau bouillante 2 minutes, ajouter les fettucine et poursuivre la cuisson 3 minutes. Lorsque les pâtes sont cuites et que le brocoli commence à se défaire, les égoutter.

Mettre les pâtes et le brocoli dans un bol et mélanger avec la sauce chaude. Ajouter le jus de citron et assaisonner de poivre noir au goût. Servir parsemé de copeaux de parmesan.

Par portion : 387 kcal, 7 g de gras, 1 g de gras saturés, 68 g de glucides, 0,22 g de sodium

Pâtes aux légumes en feuilles et aux fines herbes

Les fines herbes et les épinards rehaussent ce plat. Rapide et simple à préparer, ce mets est aussi pauvre en gras tout en étant très rassasiant. Parfait pour un repas léger. **Donne 6 portions**

350 g (¾ de lb) d'orsi ou de risoni (pâtes en forme de grain de riz)	2 poignées d'épinards hachés
30 ml (2 c. à soupe) d'huile d'olive	6 ciboules, tranchées finement
2 gousses d'ail, hachées finement	2 petites laitues Gem, en lanières
1 pincée de chili séché en flocons	1 poignée de feuilles de persil plat, hachées grossièrement
	12 feuilles de basilic, déchiquetées
	Jus de 1 citron

Faire cuire les pâtes dans une grande casserole d'eau bouillante, puis les égoutter et les remettre dans la casserole.

Entre-temps, faire chauffer l'huile d'olive dans un grand wok, y ajouter l'ail et le chili en flocons et faire cuire 1 minute. Ajouter les épinards et avec des pinces, les retourner sans cesse jusqu'à ce qu'ils soient flétris, 3 minutes environ. Ajouter le reste des ingrédients et poursuivre la cuisson 2 minutes. Assaisonner de poivre noir au goût.

Ajouter les légumes aux pâtes, bien mélanger et servir immédiatement.

Par portion : 247 kcal, 5 g de gras, 1 g de gras saturés, 45 g de glucides, 0,02 g de sodium

Trempette aux olives noires

Un autre must méditerranéen. **Donne 8 portions**

225 g (½ lb) d'olives noires, dénoyautées	2 ml (½ c. à thé) de poivre noir moulu
30 ml (2 c. à soupe) d'huile d'olive	15 ml (1 c. à soupe) de câpres en conserve, égouttées et rincées
2 gousses d'ail, hachées finement	Zeste râpé et jus de 1 citron
1 pincée de chili rouge en flocons	15 ml (1 c. à soupe) de persil haché

Au mélangeur, réduire tous les ingrédients en une purée lisse ou, si vous préférez, en une purée plus grossière.

Par portion : 57 kcal, 6 g de gras, 7 g de gras saturés, 1 g de glucides, 0,68 g de sodium

Olives marinées piquantes

Pour 1 bocal de 600 ml (2 ⅓ tasses)

350 g (¾ de lb) d'olives noires ou vertes, dénoyautées, rincées et asséchées	15 à 20 ml (1 grosse c. à soupe) de zeste de citron mariné, haché (facultatif)
5 ml (1 c. à thé) de harissa ou de sauce de piment chili	250 ml (1 tasse) d'huile d'olive
60 ml (¼ de tasse) de jus de citron	Zeste finement râpé de 1 orange (non cirée de préférence)
	2 gousses d'ail, en quartiers

Bien mélanger tous les ingrédients dans un bol non métallique. Verser dans un bocal stérilisé ayant un couvercle hermétique ou laisser dans le bol et bien couvrir d'une pellicule de plastique. Attendre 4 jours avant de consommer ; se garde jusqu'à 2 semaines (ensuite, l'ail peut rancir).

Égoutter les olives et les déposer sur du papier absorbant avant de servir. Attention : elles seront très piquantes !

Par 25 g : 57 kcal, 6,2 g de gras, 0,9 g de gras saturés, 0 g de glucides, 0,49 g de sodium

Plats principaux

4

Pilaf de pois au safran

Le pilaf est un mets à base de riz du Moyen-Orient, souvent apprêté avec de la viande ou des légumes. Comme les grains de riz ne doivent pas coller les uns aux autres, il faut bien rincer le riz avant la cuisson. **Donne 4 portions**

225 g (½ lb) de riz brun
15 ml (1 c. à soupe) d'huile d'olive
25 g (1 oz) de margarine
25 g (1 oz) d'amandes effilées
8 cerneaux de noix de Grenoble, hachés grossièrement
25 g (1 oz) de raisins secs
8 abricots séchés, en dés
4 clous de girofle
2 gousses de cardamome
1 bâton de cannelle de 2,5 cm (1 po)

2 ml (½ c. à thé) de safran en filaments, ayant trempé dans un peu d'eau chaude
4 ciboules, tranchées finement
Poivre noir fraîchement moulu
1 litre (4 tasses) de bouillon de légumes ou de poulet
375 g (¾ de lb) de pois écossés (frais ou surgelés)
45 ml (3 c. à soupe) de coriandre hachée

Rincer le riz sous l'eau froide, l'égoutter et réserver.

Faire chauffer l'huile d'olive et la margarine dans une grande casserole à fond épais ayant un couvercle hermétique. Y faire revenir les amandes, les noix, les raisins et les abricots 5 minutes environ jusqu'à ce que les noix soient dorées et les raisins bien gorgés, en remuant de temps en temps. Retirer les fruits et les noix avec une cuillère à égoutter et réserver.

Mettre les clous de girofle, la cardamome et la cannelle dans la casserole et faire cuire doucement 1 ou 2 minutes, en remuant continuellement. Ajouter le riz et faire cuire 2 minutes en remuant pour enrober le riz, puis incorporer le mélange au safran, les ciboules et 2 ml (½ c. à thé) de poivre. Mouiller avec le bouillon, porter à ébullition, baisser le feu, couvrir et laisser mijoter 45 minutes ou jusqu'à ce que le riz soit gonflé et tendre. Ajouter du bouillon au besoin, mais le résultat doit être plutôt sec.

Lorsque la cuisson du pilaf est presque terminée, faire mijoter les pois dans une casserole d'eau bouillante de 2 à 3 minutes jusqu'à ce qu'ils soient tendres, puis les égoutter. Retirer le pilaf du feu et bien incorporer délicatement les pois, le mélange de fruits et de noix et la coriandre avec une grande cuillère en métal. Assaisonner de poivre noir au goût et servir chaud.

Par portion : 492 kcal, 19 g de gras, 3 g de gras saturés, 70 g de glucides, 0,38 g de sodium

Risotto à la citrouille, aux poireaux et au yogourt

Les risottos sont habituellement relativement riches en gras. Cette variante comporte moins de fromage et du yogourt pauvre en gras. **Donne 4 portions**

30 ml (2 c. à soupe) d'huile d'olive
350 g (¾ de lb) de citrouille, pelée et en dés de 2,5 cm (1 po)
2 poireaux, tranchés
15 ml (1 c. à soupe) de sauge hachée
Poivre noir fraîchement moulu
2 oignons, hachés finement
5 ml (1 c. à thé) comble de feuilles de thym

1 feuille de laurier frais
225 g (½ lb) de riz arborio (pour risotto)
1 verre de vin blanc sec
1 litre (4 tasses) de bouillon de légumes, très chaud
25 g (1 oz) de parmesan, râpé
85 g (3 oz) de yogourt nature pauvre en gras
30 ml (2 c. à soupe) de persil plat, haché

Faire chauffer la moitié de l'huile dans une grande sauteuse, ajouter la citrouille et faire légèrement caraméliser à feu relativement vif pendant environ 5 minutes, en remuant de temps à autre. Baisser le feu, ajouter les poireaux et la sauge et poursuivre la cuisson à feu doux de 2 à 3 minutes environ, en remuant de temps en temps, jusqu'à ce qu'ils soient tendres mais pas colorés et la citrouille, tendre lorsqu'on la pique avec la pointe d'un couteau. Poivrer, verser dans un bol et réserver.

Verser le reste de l'huile dans la casserole, puis y faire ramollir les oignons, le thym et la feuille de laurier pendant quelques minutes, sans les faire colorer, en remuant de temps en temps.

Ajouter le riz et poursuivre la cuisson 1 minute, en remuant pour s'assurer que les grains de riz sont bien enrobés. Mouiller avec le vin et laisser bouillonner en remuant jusqu'à ce qu'il soit complètement absorbé.

Ajouter le bouillon, une louche à la fois, en remuant souvent. Attendre que le bouillon soit presque tout absorbé avant d'en ajouter. Après 20 minutes, ajouter le mélange à la citrouille, le parmesan, le yogourt et le persil et mélanger énergiquement.

Poivrer au goût et servir immédiatement avec un gros bol rempli de feuilles de laitue.

Par portion : 359 kcal, 10 g de gras, 3 g de gras saturés, 54 g de glucides, 0,41 g de sodium

Aiglefin fumé aux pommes de terre

Les aliments fumés ont tendance à contenir beaucoup de sel, donc diminuez votre consommation de sel pendant le reste de la journée. Les enfants, les femmes enceintes et les personnes âgées ne devraient pas manger d'œufs qui ne sont pas entièrement cuits. Donne 2 portions

600 ml (2 ⅓ tasses) de lait semi-écrémé
1 oignon, en deux
1 feuille de laurier frais
225 g (½ lb) d'aiglefin fumé
1 gousse d'ail, hachée finement
2 ciboules, tranchées finement
1 brin de thym
15 ml (1 c. à soupe) d'huile d'olive
225 g (½ lb) de pommes de terre nouvelles avec la peau, en dés
25 g (1 oz) de parmesan, râpé
30 ml (2 c. à soupe) de yogourt grec pauvre en gras
Poivre noir fraîchement moulu
2 œufs

Faire chauffer le lait dans une casserole avec l'oignon et la feuille de laurier. Retirer du feu et laisser infuser 15 minutes. Remettre sur le feu. Lorsque le liquide mijote, ajouter le poisson et le faire cuire 8 minutes. Retirer le poisson et réserver, puis filtrer le liquide de cuisson.

Faire cuire l'ail, les ciboules et le thym dans l'huile d'olive 5 minutes, puis ajouter les pommes de terre et le lait de cuisson et poursuivre la cuisson jusqu'à ce que les pommes de terre soient tendres, 12 minutes environ.

Émietter l'aiglefin fumé, jeter la peau et les arêtes, et incorporer au mélange aux pommes de terre. Incorporer doucement le parmesan et le yogourt, puis poivrer.

Porter à ébullition une grande casserole remplie d'au moins 12 cm (5 po) d'eau bouillante. Ajouter 25 ml (1 ½ c. à soupe) de vinaigre par litre (4 tasses) d'eau. Casser chaque œuf dans une tasse et les faire glisser dans l'eau lorsqu'elle atteint le point d'ébullition. Après 2 ou 3 minutes de cuisson, soulever les œufs avec une cuillère à égoutter et les déposer dans de l'eau glacée.

Faire réchauffer les œufs pochés et les répartir entre les assiettes réchauffées. Garnir du mélange à l'aiglefin fumé.

Par portion : 506 kcal, 22 g de gras, 9 g de gras saturés, 35 g de glucides, 1,25 g de sodium

Risotto aux crevettes et au safran

Un risotto traditionnel ; il s'agit d'une émulsion crémeuse de saveurs et de textures, riche et vraiment délicieuse. Donne 4 portions

1,25 litre (5 tasses) de fumet de poisson
45 ml (3 c. à soupe) d'huile d'olive
1 oignon, en petits dés
3 gousses d'ail, en petits dés
2 piments chilis rouges, en petits dés
2 ml (½ c. à thé) de thym haché
2 feuilles de laurier
375 g (¾ de lb) de riz arborio (pour risotto)
30 ml (2 c. à soupe) de vermouth sec
2 pincées de safran en filaments, ayant trempé dans 30 ml (2 c. à soupe) d'eau froide
36 crevettes, décortiquées
20 feuilles de basilic, déchiquetées
30 ml (2 c. à soupe) de pesto
30 ml (2 c. à soupe) de yogourt grec pauvre en gras
Poivre noir fraîchement moulu

Porter le fumet de poisson à ébullition dans une grande casserole et maintenir un léger frémissement.

Faire chauffer une autre grande casserole et ajouter l'huile d'olive. Ajouter l'oignon, l'ail, les piments chilis, le thym, le laurier et faire cuire jusqu'à ce que l'oignon soit tendre, sans être coloré. Ajouter le riz et faire cuire 3 minutes.

Mouiller avec le vermouth et remuer jusqu'à ce que le liquide soit presque tout absorbé. Ajouter le safran avec son liquide de trempage et une louche de fumet de poisson. Avant d'ajouter d'autre bouillon, attendre que le liquide soit tout absorbé. Mélanger souvent le riz. Continuer à ajouter du bouillon, une louche à la fois. Après environ 20 minutes, croquer un grain de riz pour voir s'il est cuit ; il devrait demeurer légèrement croquant.

Une fois prêt, le risotto aura une texture crémeuse, les grains de riz étant toujours séparés. Ajouter les crevettes et le basilic et poursuivre la cuisson 2 minutes en remuant. Incorporer doucement le pesto et le yogourt et assaisonner. Servir immédiatement avec une salade verte.

Par portion : 531 kcal, 12 g de gras, 2 g de gras saturés, 78 g de glucides, 0,64 g de sodium

Saumon au laurier sur un lit de légumes rôtis

Le saumon est un poisson fantastique, regorgeant de gras oméga-3. **Donne 4 portions**

3 petites carottes, en deux

2 petits panais, en deux

6 grosses échalotes

½ petite courge musquée, pelée, épépinée, coupée en quartiers

2 gousses d'ail, écrasées

1 piment chili rouge, épépiné et haché finement

5 ml (1 c. à thé) de feuilles de thym

15 ml (1 c. à soupe) d'huile d'olive

5 ml (1 c. à thé) de poivre noir fraîchement moulu

Huile d'olive en vaporisateur (voir page 17)

16 feuilles de laurier frais

4 darnes de saumon de 175 g (6 oz) chacune

Jus et zeste de 1 lime

Quartiers de lime

45 ml (3 c. à soupe) de cerfeuil haché

Mettre la moitié des feuilles de laurier dans une assiette, couvrir des darnes de saumon et des autres feuilles de laurier et assaisonner de poivre noir moulu. Couvrir d'une pellicule de plastique et réfrigérer 1 heure.

Préchauffer le four à 190 °C / 375 °F / 5 au four à gaz.

Mettre les carottes, les panais, les échalotes et la courge dans une casserole d'eau bouillante et faire blanchir de 2 à 3 minutes, puis passer sous l'eau froide pour qu'ils conservent leur couleur.

Mélanger les légumes blanchis, l'ail, le piment chili, le thym et l'huile d'olive et les mettre sur une plaque de cuisson préchauffée. Faire rôtir au four 45 minutes ou jusqu'à ce que les légumes soient tendres et dorés, en les retournant de temps en temps. Poivrer au goût.

Environ 10 minutes avant la fin de la cuisson des légumes, vaporiser légèrement d'huile d'olive une plaque de cuisson. Disposer les feuilles de laurier et le saumon dessus, vaporiser un peu d'huile d'olive sur le saumon et poivrer. Faire griller 5 minutes de chaque côté.

Servir le saumon sur un lit de légumes rôtis, arroser d'un peu de jus de lime, parsemer de zeste de lime et de cerfeuil et servir avec des quartiers de lime.

Par portion : 422 kcal, 23 g de gras, 4 g de gras saturés, 17 g de glucides, 0,1 g de sodium

Saumon avec purée de cresson et de pois

La cuisson à la vapeur est un des meilleurs modes de cuisson, car les aliments conservent leurs nutriments, mais on les trouve souvent fades. Cette recette devrait vous faire changer d'avis. La plupart des matières grasses ici sont des gras non saturés.

Donne 2 portions

Huile d'olive en vaporisateur (voir page 17)

4 ciboules, tranchées finement

175 g (6 oz) de pois écossés (frais ou surgelés)

300 ml (1 ¼ tasse) de bouillon de légumes

85 g (3 oz) de cresson

30 ml (2 c. à soupe) de yogourt grec pauvre en gras

Poivre noir fraîchement moulu

2 darnes de saumon de 175 g (6 oz) chacune

Quartiers de citron

Pommes de terre nouvelles à la vapeur, pour servir

Faire chauffer une poêle antiadhésive et la vaporiser légèrement d'huile. Y faire cuire les ciboules quelques minutes jusqu'à ce qu'elles soient tendres, en remuant de temps en temps. Incorporer les pois et le bouillon. Couvrir d'un rond de papier ciré aux dimensions de la poêle et laisser suer de 2 à 3 minutes.

Retirer le papier et ajouter le cresson ; en conserver un peu pour garnir. Poursuivre la cuisson 2 minutes ou jusqu'à ce que le liquide soit évaporé. Au mélangeur, réduire en une purée légèrement grumeleuse avec le yogourt. Assaisonner de poivre noir au goût. Réserver.

Assaisonner les filets de saumon de poivre noir et faire cuire à la vapeur 6 minutes ; les envelopper dans du papier d'aluminium et poursuivre la cuisson au four préalablement chauffé à 200 °C / 400 °F / 6 au four à gaz de 6 à 8 minutes.

Dresser le saumon sur la purée de pois et garnir de quartiers de citron et du cresson réservé. Servir avec les pommes de terre nouvelles.

Par portion : 431 kcal, 23 g de gras, 5 g de gras saturés, 13 g de glucides, 0,31 g de sodium

Morue aux olives et aux ciboules

Une façon différente de cuire le poisson blanc. La morue est un poisson qui absorbe facilement les saveurs. Cette recette aux parfums méditerranéens est délicieuse. **Donne 2 portions**

5 ml (1 c. à thé) d'huile d'olive

2 filets de morue de 175 g (6 oz) chacun

16 olives noires, dénoyautées et hachées finement

30 ml (2 c. à soupe) de persil haché

15 ml (1 c. à soupe) d'aneth haché

1 botte de ciboules, hachées finement

2 piments chilis, émincés

Jus et zeste de 1 lime

Poivre noir fraîchement moulu

150 ml (5 oz) de jus de tomate

150 ml (5 oz) de fumet de poisson

Préchauffer le four à 230 °C / 450 °F / 8 au four à gaz.

Huiler légèrement une rôtissoire et y déposer la morue. Dans un bol, mélanger les olives, les fines herbes, les ciboules, les piments chilis, le zeste et le jus de lime, puis étaler sur les filets de morue.

Assaisonner de poivre noir, puis verser le jus de tomate et le fumet de poisson autour des filets. Placer sur la plaque de la cuisinière et porter à ébullition à feu moyen.

Poursuivre la cuisson au four 12 minutes. Servir immédiatement, en utilisant le jus de cuisson comme sauce, avec une salade verte.

Par portion : 209 kcal, 6 g de gras, 1 g de gras saturés, 5 g de glucides, 0,92 g de sodium

Morue aux anchois et à l'ail *Un autre*

plat cuit au four, ayant un goût complètement différent. Les anchois donnent une toute nouvelle dimension à cette recette.

Donne 4 portions

5 filets d'anchois en conserve, égouttés, rincés et hachés grossièrement

10 ml (2 c. à thé) de menthe hachée finement

8 gousses d'ail, hachées finement

4 darnes de morue de 200 g (7 oz) chacune

45 ml (3 c. à soupe) de farine assaisonnée

30 ml (2 c. à soupe) d'huile de colza

4 échalotes, en deux

2 branches de céleri, tranchées finement

1 carotte, tranchée finement

30 ml (2 c. à soupe) de vermouth sec

400 g (14 oz) de tomates broyées en conserve

450 ml (1 ¾ tasse) de fumet de poisson

45 ml (3 c. à soupe) de persil plat haché

Poivre noir fraîchement moulu

Préchauffer le four à 200 °C / 400 °F / 6 au four à gaz.

Faire tremper les anchois dans de l'eau froide 30 minutes. Égoutter, puis les réduire en une pâte lisse au mélangeur, avec la menthe et la moitié de l'ail.

Pratiquer 4 incisions de 2,5 cm (1 po) dans chaque darne de morue et insérer la pâte d'anchois dans les fentes. Enduire la morue de farine assaisonnée.

Faire chauffer l'huile dans une casserole allant au four. Y faire brunir les darnes de morue sur toutes les faces, puis retirer et réserver.

Dans la même casserole, faire cuire les échalotes, le céleri, la carotte et le reste de l'ail jusqu'à ce que les légumes commencent à ramollir. Remettre la morue dans la casserole et ajouter le vermouth, les tomates et le fumet de poisson et porter à ébullition. Terminer la cuisson au four 15 minutes, puis incorporer le persil.

Assaisonner de poivre noir au goût et servir dans des bols creux avec du riz brun ou des pommes de terre nouvelles.

Par portion : 308 kcal, 8 g de gras, 1 g de gras saturés, 16 g de glucides, 0,51 g de sodium

Thon teriyaki et nouilles à l'ail rôti

Ce plat de style japonais est rempli de saveurs délicieuses. Le teriyaki est une sauce douce utilisée avec du poulet, du bœuf ou du poisson grillé. **Donne 4 portions**

45 ml (3 c. à soupe) de sauce soja pauvre en sel

45 ml (3 c. à soupe) de mirin ou de xérès sec

15 ml (1 c. à soupe) de cassonade molle

15 ml (1 c. à soupe) de gingembre râpé

1 tête d'ail plus 2 gousses d'ail

4 darnes de thon, d'environ 2,5 cm (1 po) d'épaisseur

30 ml (2 c. à soupe) d'huile d'olive

4 ciboules, hachées finement

5 ml (1 c. à thé) de thym haché

275 g (10 oz) de nouilles aux œufs sèches

75 g (3 oz) de feuilles de mini-épinards

Poivre noir fraîchement moulu

Préchauffer le four à 190 °C / 375 °F / 5 au four à gaz.

Dans un plat peu profond, mélanger la sauce soja, le mirin ou le xérès sec, la cassonade, le gingembre et les gousses d'ail hachées finement. Ajouter le thon et couvrir. Réfrigérer 2 heures en retournant les darnes de thon de temps en temps.

Couper une calotte de 5 mm (¼ de po) au sommet de la tête d'ail, mettant à nu la pointe des gousses d'ail. Arroser de 5 ml (1 c. à thé) d'huile d'olive, envelopper de papier d'aluminium et faire rôtir au four 30 minutes environ, ou jusqu'à ce que l'ail soit tendre, puis laisser refroidir légèrement.

Presser l'ail attendri de chaque gousse dans une poêle, ajouter le reste de l'huile, les ciboules et le thym et faire cuire à feu moyen jusqu'à ce que les ciboules soient tendres, sans être colorées.

Faire cuire les nouilles selon les directives sur l'emballage. Égoutter et verser dans le mélange d'ail et de ciboules et bien mélanger, puis incorporer les épinards. Mélanger jusqu'à ce que les épinards soient flétris, puis poivrer au goût.

Préchauffer le gril. Faire cuire le thon 2 minutes de chaque côté, selon le degré de cuisson désiré, en le badigeonnant plusieurs fois de marinade pendant la cuisson.

Servir immédiatement sur les nouilles.

Par portion: 573 kcal, 18 g de gras, 4 g de gras saturés, 57 g de glucides, 0,71 g de sodium

Cari de poisson épicé

Nous ne dégustons pas suffisamment de caris de poisson et je me demande pourquoi. Ce plat possède un merveilleux équilibre de saveurs et, contrairement à la plupart des caris, il est relativement pauvre en gras. **Donne 4 portions**

700 g (1 ½ lb) de filets de poisson (saumon, morue ou lotte)

Huile d'olive en vaporisateur (voir page 17)

2 oignons, tranchés finement

6 gousses d'ail, en petits dés

2 ml (½ c. à thé) de coriandre moulue

2 ml (½ c. à thé) de curcuma moulu

5 ml (1 c. à thé) de poivre de Cayenne

2 ml (½ c. à thé) de gingembre moulu

3 tomates, épépinées et hachées

225 g (½ lb) de feuilles d'épinards, sans les tiges

Poivre noir fraîchement moulu

150 g (5 oz) de yogourt grec pauvre en gras

Couper le poisson en cubes de 2,5 cm (1 po).

Vaporiser légèrement d'huile d'olive une poêle antiadhésive, y faire revenir le poisson jusqu'à ce qu'il soit tout juste cuit, 3 minutes environ. Retirer et réserver.

Vaporiser un peu plus d'huile dans la poêle et y faire revenir les oignons jusqu'à ce qu'ils soient tendres, sans être colorés, puis ajouter l'ail et les épices et poursuivre la cuisson 5 minutes. Ajouter les tomates et les épinards et faire cuire jusqu'à ce que les épinards soient flétris. Assaisonner de poivre noir, puis ajouter le yogourt. Porter à ébullition et laisser mijoter 5 minutes.

Remettre le poisson dans la sauce et bien faire réchauffer. Servir immédiatement avec du riz brun.

Par portion: 328 kcal, 14 g de gras, 3 g de gras saturés, 12 g de glucides, 0,21 g de sodium

Casserole de poisson parfumée

Un repas simple inspiré de l'Inde occidentale. Le piment de la Jamaïque a un goût qui rappelle à la fois le clou de girofle, le poivre, la muscade et la cannelle. **Donne 4 portions**

2 ml (½ c. à thé) de poivre noir fraîchement moulu

8 grains de piment de la Jamaïque, écrasés

4 gousses d'ail, écrasées

2 piments chilis forts, hachés finement

Jus de 2 limes

15 ml (1 c. à soupe) d'huile d'olive

110 g (¼ de lb) de lotte

110 g (¼ de lb) d'aiglefin

4 grosses crevettes, décortiquées

4 gros pétoncles, écaillés

600 ml (2 ⅓ tasses) de fumet de poisson

75 g (3 oz) de haricots verts fins, en morceaux de 2,5 cm (1 po)

50 g (2 oz) de grains de maïs

50 g (2 oz) de pois écossés (frais ou surgelés)

4 ciboules

Quartiers de lime, pour servir

Mélanger les 6 premiers ingrédients dans un bol pour préparer la marinade. Ajouter le poisson et les fruits de mer et laisser mariner 1 heure.

Au moment de la cuisson, ajouter le poisson, les fruits de mer et la marinade au fumet de poisson et porter à ébullition.

Ajouter tous les légumes et faire cuire 4 minutes.

Servir le poisson dans des bols, couvrir du liquide de cuisson et accompagner de quartiers de lime et de pain frais.

Par portion : 153 kcal, 4 g de gras, 1 g de gras saturés, 8 g de glucides, 0,36 g de sodium

Maquereau rôti aux épices marocaines

Le maquereau donne le meilleur rapport qualité-prix et possède la merveilleuse capacité de supporter de forts parfums. C'est aussi une des plus riches sources de gras oméga-3, ce qui explique la teneur en gras de ce plat. **Donne 4 portions**

30 ml (2 c. à soupe) d'huile de colza ou d'huile d'olive	10 ml (2 c. à thé) de cumin moulu
30 ml (2 c. à soupe) de feuilles de coriandre hachées	5 ml (1 c. à thé) de coriandre moulue
5 ml (1 c. à thé) de feuilles de menthe hachées	4 gousses d'ail, écrasées
Jus de 1 citron	2 ml (½ c. à thé) de poivre noir fraîchement moulu
2 ml (½ c. à thé) de poudre de chili	4 maquereaux de 350 g (¾ de lb) chacun, filetés
2 ml (½ c. à thé) de paprika	60 ml (¼ de tasse) de yogourt grec pauvre en gras

Dans un bol, mélanger l'huile, les feuilles de coriandre hachées, la menthe, le jus de citron, la poudre de chili, le paprika, le cumin, la coriandre moulue, l'ail et le poivre noir.
Mettre les filets de maquereau dans la marinade et bien les en enrober. Laisser mariner 30 minutes en les retournant de temps en temps.
Préchauffer le four à 190 °C / 375 °F / 5 au four à gaz.
Mettre le poisson et la marinade dans un plat de cuisson peu profond, ajouter 125 ml (½ tasse) d'eau et porter à ébullition sur la cuisinière. Poursuivre la cuisson au four de 12 à 15 minutes. Sortir du four et conserver au chaud.
Filtrer le liquide de cuisson dans une casserole et incorporer délicatement le yogourt. Bien faire réchauffer et verser sur le maquereau.

Par portion : 633 kcal, 47 g de gras, 8 g de gras saturés, 4 g de glucides, 0,18 g de sodium

Harengs à l'avoine, aux tomates, aux poivrons et aux anchois

Beaucoup d'entre nous ne consommons que le hareng fumé, mais il est encore meilleur lorsqu'il est frais. Accompagnez-le de plats peu salés.

Donne 4 portions

4 harengs d'environ 350 g (¾ de lb), parés	300 g (10 oz) de poivrons rouges rôtis et de tomates séchées en bocal, égouttés et asséchés
2 tranches de bacon de dos maigre	
300 ml (1 ¼ tasse) de lait écrémé	700 g (1 ½ lb) de tomates italiennes, pelées et hachées
150 g (5 oz) d'avoine en flocons	5 ml (1 c. à thé) de feuilles de marjolaine hachées
Huile d'olive en vaporisateur (voir page 17)	5 ml (1 c. à thé) de câpres en conserve hachées
1 gros oignon, tranché finement	2 filets d'anchois en conserve, égouttés, rincés et hachés
3 gousses d'ail, hachées finement	16 olives noires, dénoyautées et coupées en deux
45 ml (3 c. à soupe) de martini sec	

Préchauffer le four à 200 °C / 400 °F / 6 au four à gaz.
Pratiquer 2 fentes en biais sur chaque côté des harengs. Couper chaque tranche de bacon en 8 et insérer un morceau dans chaque fente.
Plonger les harengs dans le lait, puis les enrober d'avoine.
Vaporiser légèrement une poêle d'huile d'olive et la faire chauffer. Ajouter l'oignon et l'ail et faire cuire jusqu'à ce que l'oignon soit tendre, sans être coloré. Ajouter le martini, les poivrons rouges et les tomates séchées, les tomates italiennes, la marjolaine, les câpres, les anchois et les olives. Laisser mijoter 10 minutes. Verser la préparation dans un plat de cuisson suffisamment grand pour contenir les 4 harengs.
Dans la même poêle, vaporiser un peu plus d'huile d'olive et y faire saisir les harengs 1 minute de chaque côté. Les déposer sur la préparation aux poivrons et poursuivre la cuisson au four 20 minutes. Servir avec des pommes de terre nouvelles ou une salade verte.

Par portion : 754 kcal, 44 g de gras, 6 g de gras saturés, 44 g de glucides, 1,34 g de sodium

Bouillabaisse

Voici une autre recette méditerranéenne fantastique, qui regorge de saveurs. Traditionnellement elle contient diverses variétés de poissons, du safran, des oignons, de l'ail et des tomates. **Donne 4 portions**

30 ml (2 c. à soupe) d'huile d'olive

2 oignons, hachés finement

4 gousses d'ail, hachées finement

2 poireaux, parés et hachés finement

1 bulbe de fenouil, haché finement, les feuilles réservées

400 g (14 oz) de tomates broyées en conserve

5 ml (1 c. à thé) de graines de fenouil

15 ml (1 c. à soupe) de purée de tomate

1 petite botte de persil plat, feuilles et tiges séparées

2 brins de thym

2 feuilles de laurier

450 g (1 lb) d'arêtes de poisson (facultatif)

2 lanières de zeste d'orange

600 ml (2 ⅓ tasses) de fumet de poisson

500 ml (2 tasses) d'eau minérale non gazeuse

2 ml (½ c. à thé) de safran en filaments, ayant trempé dans un peu d'eau chaude

4 pommes de terre farineuses moyennes, pelées et coupées en deux

15 ml (1 c. à soupe) de Pernod

Poivre noir fraîchement moulu

1 rouget, écaillé et fileté, chaque filet coupé en deux, tête et arêtes réservées

2 filets de bar rayé de 125 g (¼ de lb) chacun, coupés en deux

225 g (½ lb) de filet de lotte, en morceaux de 4 cm (1 ½ po)

450 g (1 lb) de moules, nettoyées (environ 20 moules)

6 grosses crevettes tigrées, décortiquées et déveinées, les carapaces réservées

Faire chauffer l'huile d'olive dans une grande casserole. Ajouter les oignons, l'ail, les poireaux et le fenouil et faire cuire doucement 10 minutes ou jusqu'à ce que les légumes soient tendres, sans être colorés, en remuant de temps en temps. **Incorporer** les tomates, les graines de fenouil, la purée de tomate, les tiges de persil, les brins de thym et le laurier, puis les arêtes réservées (facultatif), les parures de poisson et les carapaces de crevettes. Faire cuire 1 minute environ en remuant jusqu'à ce que les ingrédients soient bien mélangés, puis ajouter le zeste d'orange et mouiller avec le fumet de poisson, l'eau minérale non gazeuse et la préparation au safran. Porter à ébullition, puis baisser le feu et laisser mijoter doucement, à découvert, 30 minutes, en écumant la surface de temps en temps. Filtrer et remettre dans la casserole ; jeter les arêtes et les écailles.

Ajouter les pommes de terre au fumet de poisson et faire cuire 15 minutes.

Ajouter le Pernod et poivrer au goût. Ramener à une faible ébullition, puis ajouter le rouget, les filets de bar rayé, les morceaux de lotte et les moules. Ramener à faible ébullition et ajouter les crevettes. Couvrir et poursuivre la cuisson 2 minutes ou jusqu'à ce que les moules soient ouvertes et les crevettes, rosées. Avec une cuillère à égoutter, transférer le poisson et les fruits de mer dans un plat de service chaud et arroser du fumet. Hacher grossièrement des feuilles de persil, en parsemer le plat et servir.

Par portion : 447 kcal, 12 g de gras, 2 g de gras saturés, 35 g de glucides, 0,58 g de sodium

Tagine de poulet

La plupart des gens associent épicé à piquant, mais ce n'est pas le cas de ce plat marocain qui regorge de saveurs. **Donne 4 portions**

7 ml (½ c. à soupe) de gingembre moulu

5 ml (1 c. à thé) de poivre noir fraîchement moulu

2 ml (½ c. à thé) de cannelle moulue

2 ml (½ c. à thé) de curcuma moulu

10 ml (2 c. à thé) de paprika

2 ml (½ c. à thé) de poivre de Cayenne

8 cuisses de poulet, en morceaux de 2,5 cm (1 po)

15 ml (1 c. à soupe) d'huile d'olive

6 gousses d'ail, écrasées en une pâte

2 oignons, râpés

50 g (2 oz) d'abricots séchés, ayant trempé dans l'eau

25 g (1 oz) d'amandes effilées

25 g (1 oz) de raisins de Corinthe ou de Smyrne

5 ml (1 c. à thé) de miel liquide

2 ml (½ c. à thé) de safran en filaments, ayant trempé dans un peu d'eau froide

300 ml (1 ¼ tasse) de jus de tomate

300 ml (1 ¼ tasse) de bouillon de poulet

400 g (14 oz) de tomates broyées en conserve

30 ml (2 c. à soupe) de feuilles de coriandre hachées

Mélanger toutes les épices. Enrober le poulet de la moitié de ce mélange et le laisser reposer toute la nuit de préférence, ou un minimum de 2 heures.

Dans une casserole à fond épais, faire chauffer l'huile et y faire dorer le poulet à feu vif. Retirer de la casserole et réserver. Ajouter le reste du mélange aux épices, l'ail écrasé et les oignons râpés jusqu'à ce que ces derniers soient tendres, mais pas colorés.

Ajouter les abricots et leur eau de trempage, les amandes, les raisins, le miel, le safran et son liquide de trempage, le jus de tomate, le bouillon de poulet et les tomates. Porter à ébullition, baisser le feu à moyen et faire cuire jusqu'à ce que la sauce ait considérablement épaissi, 20 minutes environ. Ajouter le poulet et poursuivre la cuisson 20 minutes.

Incorporer délicatement la coriandre et servir immédiatement avec le Couscous de luxe (voir page 61).

Par portion : 356 kcal, 9 g de gras, 1 g de gras saturés, 26 g de glucides, 0,42 g de sodium

Brochettes de poulet au thon

C'est une fantastique variante grillée du classique mets italien à base de veau, le Vitello tonnato, qui se prépare avec du thon et des anchois. Parfait pour les repas d'été. **Donne 2 portions**

½ oignon, en petits dés

½ carotte, en petits dés

½ branche de céleri, en petits dés

2 gousses d'ail, en petits dés

2 ml (½ c. à thé) de feuilles de thym frais

1 feuille de laurier

30 ml (2 c. à soupe) d'huile d'olive

110 g (¼ de lb) de thon en saumure en conserve, égoutté

4 filets d'anchois en conserve

150 ml (5 oz) de vin blanc

150 ml (5 oz) de bouillon de poulet

300 ml (1 ¼ tasse) de yogourt nature pauvre en gras

Pincée de sel

Poivre noir fraîchement moulu

2 poitrines de poulet de 175 g (6 oz) chacune, sans la peau, coupées en dés de 1,5 cm (¾ de po)

Huile d'olive en vaporisateur (voir page 17)

Faire cuire l'oignon, la carotte, le céleri, l'ail, les feuilles de thym et de laurier dans l'huile jusqu'à ce que l'oignon soit tendre, mais pas coloré. Ajouter le thon, les anchois, le vin blanc et le bouillon et laisser mijoter 20 minutes ou jusqu'à ce qu'il ne reste qu'environ 100 ml (⅓ de tasse) de liquide. Retirer la feuille de laurier et réduire en une purée lisse au mélangeur.

Laisser refroidir, puis incorporer doucement le yogourt. Assaisonner de sel et de poivre noir au goût.

Enfiler le poulet sur 4 petites brochettes en bois, vaporiser légèrement d'huile et faire griller 3 minutes de chaque côté. Assaisonner avec un peu de sel et de poivre noir. Servir les brochettes chaudes avec la sauce au thon froide.

Par portion : 501 kcal, 16 g de gras, 3 g de gras saturés, 15 g de glucides, 0,94 g de sodium

Poulet irrésistible

Le titre dit bien ce qu'il en est : une façon vraiment délicieuse et, de plus, très saine de faire cuire le poulet qui peut se déguster tel quel ou dans une salade (voir Salade de poulet asiatique, page 73), un sandwich ou un ragoût.

Donne 4 portions

1,5 kg (3 lb) de poulet de ferme, sans la peau	6 gousses d'ail, pelées
4 ciboules, tranchées	1 piment chili
3 rondelles de gingembre frais de 5 mm (¼ de po) d'épaisseur	10 grains de poivre noir

Mettre le poulet dans une casserole ayant un couvercle hermétique, couvrir d'eau et ajouter le reste des ingrédients.

Porter à ébullition et laisser mijoter 35 minutes en retournant le poulet une fois pendant la cuisson. Couvrir et éteindre le feu. Laisser le poulet reposer dans le liquide 1 heure.

Retirer le poulet. Le laisser refroidir complètement, puis le couper selon les besoins.

Par portion : 212 kcal, 8 g de gras, 3 g de gras saturés, 0 g de glucides, 0,09 g de sodium

Poulet grillé avec chutney à la coriandre

Un repas bien simple, rapide à préparer et délicieux. Lorsque c'est possible, achetez du poulet biologique dont la saveur est nettement supérieure. Donne 2 portions

Huile d'olive en vaporisateur (voir page 17)	1 morceau de gingembre frais de 1,5 cm (½ po), pelé et râpé
2 poitrines de poulet de 175 g (6 oz) chacune, sans la peau	1 piment chili, haché grossièrement
175 g (6 oz) de riz basmati, cuit	2 ml (½ c. à thé) de graines de cumin
Pour le chutney :	1 gousse d'ail
25 g (1 oz) de feuilles de menthe	10 ml (2 c. à thé) de jus de citron
25 g (1 oz) de feuilles de coriandre	15 ml (1 c. à soupe) de noix de coco déshydratée, réhydratée dans de l'eau
1 petit oignon, haché grossièrement	

Pour préparer le chutney, mélanger les ingrédients en une purée lisse au mélangeur.

Vaporiser légèrement les poitrines de poulet d'huile et les faire cuire sous le gril chaud 8 minutes de chaque côté. Servir avec le chutney, le riz basmati et de la salade en feuilles.

Par portion : 546 kcal, 7 g de gras, 4 g de gras saturés, 75 g de glucides, 0,12 g de sodium

Cailles fumées au thé

Le fumage maison à sa plus simple expression ! Le thé, le sucre et le riz font un mélange simple de fumage, tandis que la marinade asiatique confère une saveur fantastique. Ces cailles contiennent aussi beaucoup moins de sel que les aliments fumés en vente sur le marché. **Donne 2 portions (4, en entrée)**

15 ml (1 c. à soupe) d'huile de sésame	4 cailles
30 ml (2 c. à soupe) de miel liquide	30 ml (2 c. à soupe) de thé au jasmin en feuilles
15 ml (1 c. à soupe) de sauce soja pauvre en sel	30 ml (2 c. à soupe) de sucre turbinado
	30 ml (2 c. à soupe) de riz

Mélanger l'huile de sésame, le miel et la sauce soja dans un bol, en frotter les cailles et laisser mariner 1 heure.

Préparer le mélange de fumage avec les feuilles de thé, le sucre et le riz. Couper un rond de papier d'aluminium qui s'ajustera au fond d'un wok, et en froisser le contour pour obtenir un contenant d'environ 12 cm (5 po) de diamètre. Le déposer dans le wok et y verser le mélange de fumage.

Mettre le wok à feu vif et, lorsque le mélange commence à fumer, déposer les cailles sur une grille métallique circulaire qui s'ajuste à mi-hauteur du wok. Couvrir hermétiquement et laisser fumer 5 minutes.

Retirer le wok du feu et attendre 1 à 2 minutes avant de soulever le couvercle.

Servir avec le Chou râpé asiatique (voir page 73).

Par portion : 461 kcal, 29 g de gras, 7 g de gras saturés, 4 g de glucides, 0,22 g de sodium

Porc à l'asiatique en feuilles de laitue

Les saveurs orientales et le croquant de la laitue font de ce plat, aussi bien chaud que froid, un véritable délice. **Donne 2 portions**

2 gousses d'ail, hachées finement	15 ml (1 c. à soupe) de nam pla (sauce de poisson thaïlandaise) ou de sauce soja légère pauvre en sel
2 à 3 ml (½ c. à thé) de poivre noir fraîchement moulu	
Jus et zeste de 1 lime	5 ml (1 c. à thé) de miel liquide
30 ml (2 c. à soupe) de feuilles de coriandre hachées	1 piment oiseau, haché finement
15 ml (1 c. à soupe) d'huile de noix ou de tournesol	2 échalotes, tranchées finement
225 g (½ lb) de porc maigre émincé	2 grosses oranges, en segments
15 ml (1 c. à soupe) d'arachides non salées, hachées	30 ml (2 c. à soupe) de menthe hachée
30 ml (2 c. à soupe) de pousses de bambou en conserve, hachées	2 petites laitues Gem, les feuilles détachées

Faire chauffer une grande poêle ou un wok. Mélanger l'ail, le poivre, le jus et le zeste de lime et la moitié de la coriandre dans un petit bol. Verser l'huile dans la poêle et y faire revenir le mélange à l'ail 30 secondes, puis ajouter le porc et le faire saisir de 8 à 10 minutes, ou jusqu'à ce qu'il soit doré, en séparant les morceaux avec une cuillère de bois pendant la cuisson.

Ajouter les arachides, les pousses de bambou, la sauce de poisson ou la sauce soja, le miel et le piment chili et poursuivre la cuisson 5 minutes ou jusqu'à ce que le liquide soit presque tout évaporé, en remuant de temps en temps. Assaisonner au goût.

Mettre les échalotes dans un bol avec l'orange, une bonne cuillerée de menthe et le reste de la coriandre. Mélanger et disposer au milieu d'une grande assiette ou d'un plateau. Incorporer le reste de la menthe au mélange au porc, puis remplir les feuilles de laitue et les disposer autour de la salade d'orange.

Déposer un peu de salade d'orange sur chaque rouleau de porc et déguster immédiatement.

Par portion : 336 kcal, 14 g de gras, 3 g de gras saturés, 23 g de glucides, 0,62 g de sodium

Riz brun avec pancetta, légumes verts et noix de pécan *Un repas vraiment consistant, surtout parce que la plupart des gras sont non saturés. Ce riz est délicieux avec une salade verte.* **Donne 6 portions**

1,5 litre (6 tasses) de bouillon de poulet
1 feuille de laurier
1 brin de thym
225 g (½ lb) de riz brun
25 g (1 oz) de margarine
115 g (¼ de lb) de pancetta (ou de bacon maigre), grossièrement hachée
2 oignons, hachés finement
3 branches de céleri, hachées finement

½ chou de Savoie, haché
45 ml (3 c. à soupe) de marjolaine hachée finement
½ sachet de farce à la sauge et à l'oignon
110 g (¼ de lb) de noix de pécan hachées
Poivre noir fraîchement moulu
2 œufs, battus
Huile d'olive en vaporisateur (voir page 17)

Porter à ébullition 850 ml (3 ⅓ tasses) de bouillon, la feuille de laurier et le thym. Ajouter le riz, baisser le feu, couvrir et faire cuire 30 minutes. Verser le riz dans un grand bol ; jeter le laurier et le thym.

Entre-temps, faire fondre la margarine dans une grande casserole, ajouter la pancetta ou le bacon, les oignons et le céleri. Faire cuire à feu moyen 8 minutes ou jusqu'à ce que les oignons soient tendres mais pas colorés. Ajouter le chou et la marjolaine et faire cuire 5 minutes, en remuant régulièrement. Ajouter ce mélange au riz, incorporer doucement la farce, les noix, beaucoup de poivre noir et les œufs battus.

Huiler légèrement un grand plat de cuisson. Incorporer doucement le reste du bouillon de poulet dans la farce et transférer dans le plat de cuisson. Couvrir de papier d'aluminium et faire cuire dans un four chaud 30 minutes.

Par portion : 425 kcal, 25 g de gras, 4 g de gras saturés, 39 g de glucides, 0,69 g de sodium

Porc bouilli avec salsa verde *Inspiré du Bollito misto italien qui contient habituellement plusieurs sortes de viande (bollito misto signifie mélange bouilli), cette variante avec du porc est délicieuse. Elle est traditionnellement servie avec une salsa verde.* **Donne 8 portions**

4 petites carottes, pelées et entières
4 petits oignons, pelés, la racine intacte
1 morceau d'échine de porc de 1,5 kg (3 lb), ayant trempé toute la nuit dans de l'eau et égoutté
2 cœurs de céleri, en quartiers dans le sens de la longueur
12 grains de poivre noir

3 feuilles de laurier fraîches
Écorce de 1 orange, piquée de 4 clous de girofle
12 brins de persil
12 pommes de terre nouvelles, non pelées
120 g (¼ de lb) de grosses fèves écossées (fraîches ou surgelées)
12 mini-poireaux, parés
Salsa verde (voir page 62), pour servir

Mettre les carottes et les oignons dans une casserole suffisamment grande pour contenir le morceau de porc, et le poser sur les légumes. Ajouter le céleri, les grains de poivre, les feuilles de laurier et l'écorce d'orange piquée de clous de girofle, puis ajouter suffisamment d'eau pour couvrir complètement le porc.

Ajouter les brins de persil et porter à ébullition. Baisser le feu et laisser mijoter 1 heure en écumant la surface et en ajoutant de l'eau pour maintenir le porc complètement couvert. Faire cuire le porc selon les directives sur l'emballage ; calculer environ 20 minutes par 450 g (1 lb).

Ajouter les pommes de terre nouvelles 20 minutes avant la fin de la cuisson. Ajouter les grosses fèves et les poireaux 10 minutes avant la fin. Jeter l'écorce d'orange et les tiges de persil.

Retirer le porc de la casserole et le déposer sur une planche à découper. Couper et enlever la ficelle, éliminer tout excédent de gras, puis détailler en tranches épaisses. Dresser les tranches dans des assiettes, disposer autour une variété de légumes et un peu de bouillon. Servir avec de la salsa verde et de la moutarde forte.

Par portion : 267 kcal, 7 g de gras, 2 g de gras saturés, 12 g de glucides, 1,39 g de sodium

Agneau à la toscane
De délicieuses saveurs en provenance de l'Italie. **Donne 2 portions**

2 côtelettes d'agneau, sans la peau et dégraissées

9 petits brins de romarin

4 gousses d'ail, hachées finement

Poivre noir fraîchement moulu

Huile d'olive en vaporisateur (voir page 17)

1 oignon, haché finement

2 carottes, en dés

2 branches de céleri, en dés

5 à 6 ml (1 c. à thé comble) de feuilles de thym

4 filets d'anchois en conserve, rincés, égouttés et hachés

125 ml (½ tasse) de vin rouge

300 ml (1 ¼ tasse) de bouillon d'agneau ou de poulet

400 g (14 oz) de tomates hachées

15 ml (1 c. à soupe) de purée de tomate

400 g (14 oz) de haricots cannellini en conserve, égouttés et rincés

30 ml (2 c. à soupe) de persil plat haché

Dans un plat non métallique, mélanger les côtelettes d'agneau avec le romarin et la moitié de l'ail; poivrer. Couvrir d'une pellicule de plastique et laisser reposer 1 heure à la température ambiante ou jusqu'à 24 heures au réfrigérateur.

Faire chauffer une sauteuse, vaporiser d'huile et y faire revenir l'oignon, les carottes, le céleri et le thym à feu vif 10 minutes environ, en remuant jusqu'à ce que les légumes soient tendres et légèrement dorés, puis ajouter le reste de l'ail et les anchois.

Mouiller avec le vin rouge, en raclant le fond du plat pour en détacher les dépôts, puis ajouter le bouillon, les tomates et la purée de tomate. Poivrer, porter à ébullition, baisser le feu et laisser mijoter de 15 à 20 minutes jusqu'à ce que le liquide de cuisson ait réduit et épaissi, en remuant de temps en temps.

Faire chauffer une casserole à fond cannelé, le barbecue ou le gril et y faire cuire les côtelettes d'agneau 5 minutes de chaque côté, ou jusqu'à ce qu'elles soient légèrement noircies et la chair, rosée. Poivrer.

Ajouter les haricots et presque tout le persil au mélange aux tomates et mélanger. Poivrer et faire cuire 5 minutes ou jusqu'à ce que ce soit bien chaud. Disposer dans des bols à large bord, garnir du reste du persil et poser une côtelette d'agneau sur le dessus.

Par portion : 606 kcal, 22 g de gras, 7 g de gras saturés, 44 g de glucides, 0,9 g de sodium

Boulettes d'agneau avec du yogourt épicé
Un mélange irrésistible. **Donne 40 boulettes**

75 g (3 oz) de bulghur de blé concassé

30 ml (2 c. à soupe) d'huile d'olive

1 piment chili, haché finement

1 oignon moyen, haché

2 ml (½ c. à thé) de coriandre moulue

2 ml (½ c. à thé) de cumin moulu

500 g (1 lb) de gigot d'agneau, maigre, tout gras visible enlevé, en dés

1 œuf

40 g (1 ½ oz) de noix de pin, hachées finement

30 ml (2 c. à soupe) de menthe hachée

30 ml (2 c. à soupe) de persil haché

Pour le yogourt épicé :

2 piments chilis, épépinés et hachés finement

15 ml (1 c. à soupe) de menthe hachée

15 ml (1 c. à soupe) de ciboulette ciselée

15 ml (1 c. à soupe) de feuilles de coriandre, hachées

15 ml (1 c. à soupe) de persil haché finement

1 gousse d'ail, écrasée en pâte

2 ml (½ c. à thé) de cumin moulu

250 g (½ lb) de yogourt grec pauvre en gras

Faire tremper le bulghur dans de l'eau froide 30 minutes, égoutter et presser pour assécher.

Faire chauffer la moitié de l'huile dans une poêle, puis ajouter le piment, l'oignon, la coriandre et le cumin et faire cuire à feu doux 15 minutes. Égoutter, conserver l'huile, et laisser refroidir.

Battre l'œuf. Au mélangeur, réduire en une pâte lisse l'agneau, l'œuf et le mélange à l'oignon. Mettre dans un bol avec le blé concassé, les noix de pin et les fines herbes. Les mains mouillées, façonner le mélange en boulettes de 5 ml (1 c. à thé).

Mélanger tous les ingrédients pour le yogourt épicé et laisser reposer 1 heure pour permettre aux saveurs de se développer.

Ajouter le reste de l'huile à celle qui est réservée dans la poêle. À feu moyen, faire frire les boulettes en plusieurs fois, en les retournant régulièrement jusqu'à ce qu'elles soient cuites et dorées, 10 minutes environ. Conserver au chaud dans le four.

Égoutter les boulettes sur du papier absorbant et servir avec le yogourt épicé comme trempette.

Par portion (4 boulettes) : 188 kcal, 12 g de gras, 4 g de gras saturés, 8 g de glucides, 0,08 g de sodium

Pâté à l'agneau au chou-fleur

Ici, la garniture au chou-fleur fournit une alternative inhabituelle et plus saine à la traditionnelle purée de pommes de terre du pâté chinois québécois et du hachis parmentier français. **Donne 4 portions**

Huile d'olive en vaporisateur (voir page 17)

1 gros oignon, haché finement

450 g (1 lb) d'agneau maigre haché

15 ml (1 c. à soupe) de farine

2 feuilles de laurier

5 ml (1 c. à thé) de thym haché

5 ml (1 c. à thé) d'essence d'anchois

200 g (7 oz) de tomates broyées en conserve

250 ml (1 tasse) de bouillon d'agneau, de poulet ou de bœuf

10 ml (2 c. à thé) de sauce Worcestershire

Poivre noir fraîchement moulu

Pour la garniture :

1 chou-fleur moyen, en fleurettes

30 ml (2 c. à soupe) de yogourt grec pauvre en gras

1 jaune d'œuf

30 ml (2 c. à soupe) de panure de pain complet

Faire chauffer une poêle. Vaporiser légèrement d'huile d'olive, puis faire revenir l'oignon jusqu'à ce qu'il soit tendre, mais pas coloré, en remuant de temps en temps.

Entre-temps, faire chauffer une grande casserole à fond épais et la vaporiser légèrement d'huile d'olive. Faire dorer uniformément à feu vif la moitié de l'agneau haché en l'émiettant avec le dos d'une cuillère de bois ; égoutter le gras. Transférer dans une assiette. Faire cuire le reste de l'agneau de la même façon, puis remettre toute la viande dans la casserole, ajouter l'oignon cuit et mélanger.

Saupoudrer de farine, puis ajouter les feuilles de laurier, le thym et l'essence d'anchois et mélanger. Ajouter les tomates broyées, le bouillon, la sauce Worcestershire et une bonne pincée de poivre. Porter à ébullition ; baisser le feu, couvrir et laisser mijoter de 45 minutes à 1 heure jusqu'à ce que l'agneau soit bien tendre. Laisser refroidir puis réfrigérer. Enlever tout gras solidifié à la surface.

Préchauffer le four à 180 °C / 350 °F / 4 au four à gaz.

Entre-temps, pour la garniture, mettre le chou-fleur dans une casserole d'eau bouillante, couvrir et laisser mijoter de 15 à 20 minutes ou jusqu'à ce qu'il soit tendre. Égoutter et remettre dans la casserole pendant quelques minutes pour l'assécher, en secouant la casserole de temps en temps pour éviter que le chou-fleur ne colle au fond. Au mélangeur, réduire le chou-fleur en une purée lisse. Verser dans un grand bol et incorporer au fouet le yogourt et le jaune d'œuf. Poivrer au goût.

À la cuillère, déposer le mélange à l'agneau dans un moule à tarte d'une capacité de 1,8 litre (7 tasses) et jeter les feuilles de laurier. Couvrir de chou-fleur en purée, puis lisser la surface et la marquer avec une spatule. Parsemer de panure et vaporiser d'un peu d'huile. Faire cuire au four de 25 à 30 minutes ou jusqu'à ce que la garniture bouillonne et soit dorée. Servir immédiatement dans le plat de cuisson accompagné de pois, si désiré.

Par portion : 303 kcal, 13 g de gras, 5 g de gras saturés, 16 g de glucides, 0,34 g de sodium

Ragoût aux patates douces

Un autre plat qui ne passe pas inaperçu. Les patates douces contiennent plus de bêta-carotène que les pommes de terre. Remplacez le bouillon par de l'eau si vous voulez réduire le gras et le sodium. **Donne 4 portions**

- 4 rognons d'agneau, sans la peau
- 8 côtelettes d'agneau de 110 g (¼ de lb) chacune, dégraissées
- 15 ml (1 c. à soupe) comble de farine
- Poivre noir fraîchement moulu
- 7 ml (½ c. à soupe) d'huile de tournesol
- 600 ml (2 ⅓ tasses) de bouillon d'agneau frais
- Huile d'olive en vaporisateur (voir page 17)
- 750 g (1 ½ lb) de patates douces, pelées
- 1 grosse pomme de terre farineuse, pelée
- 4 brins de thym
- 2 oignons, tranchés finement
- 2 feuilles de laurier frais

Préchauffer le four à 180 °C / 350 °F / 4 au four à gaz.

Poser les rognons sur une planche à découper et couper chacun en deux, puis avec des petits ciseaux, retirer le cœur et la membrane. Mettre dans un bol avec les côtelettes d'agneau, ajouter la farine et poivrer généreusement. Mélanger pour enrober et secouer pour enlever l'excédent.

Faire chauffer une grande poêle antiadhésive. Ajouter l'huile et faire brunir les côtelettes de 2 à 3 minutes de chaque côté. Vous devrez peut-être procéder en plusieurs fois selon la grosseur des côtelettes et les dimensions de la poêle. Transférer dans une assiette et réserver. Ajouter les rognons et les faire frire de 1 à 2 minutes de chaque côté, puis les mettre dans l'assiette avec les côtelettes. Jeter l'excédent de gras de la poêle, puis ajouter un peu de bouillon pour déglacer, en raclant le fond avec une cuillère en bois pour enlever tout dépôt.

Vaporiser un peu d'huile dans une casserole à fond épais d'une capacité de 4,5 litres (18 tasses). Couper les patates douces en tranches de 1 cm (½ po) d'épaisseur. Trancher finement la pomme de terre et réserver. Tapisser le fond d'un plat avec la moitié des tranches de patates douces. Poser dessus 4 côtelettes d'agneau, puis ajouter 2 brins de thym, 1 feuille de laurier et la moitié des oignons. Poivrer au goût et enfoncer les rognons autour du bord de la casserole. Recommencer avec le reste des ingrédients, puis mouiller avec le bouillon utilisé pour déglacer le plat et le reste du bouillon.

Terminer par une couche de tranches de pomme de terre qui se chevauchent. Vaporiser d'un peu d'huile d'olive, couvrir et faire cuire au four 2 ½ heures, ou jusqu'à ce que l'agneau soit bien tendre, en découvrant le plat pour les 30 dernières minutes de cuisson afin de permettre aux pommes de terre de dorer.

Servir tel quel dans la casserole accompagné de brocoli et de carottes cuites à la vapeur.

Par portion : 569 kcal, 18 g de gras, 8 g de gras saturés, 53 g de glucides, 0,5 g de sodium

5

Gratin aux pêches et aux bleuets

Ce gratin, simple et délicieux, devrait provoquer des soupirs de ravissement et mettre l'eau à la bouche. Un dessert facile à préparer. **Donne 4 portions**

4 demi-pêches en conserve, dans leur jus	175 g (6 oz) de yogourt grec pauvre en gras
75 g (3 oz) de bleuets (myrtilles)	15 ml (1 c. à soupe) de sucre
50 g (2 oz) de mascarpone	2 ml (½ c. à thé) de cannelle moulue

Déposer les demi-pêches au fond de 4 ramequins et couvrir de bleuets. Battre ensemble le mascarpone et le yogourt avec une cuillère de bois, puis verser sur les fruits. Mélanger le sucre et la cannelle et saupoudrer sur la préparation au yogourt.
Préchauffer le gril au maximum. Mettre les ramequins sous le gril pendant 5 à 6 minutes jusqu'à ce que le sucre soit doré. Vous pouvez aussi utiliser un chalumeau de cuisine. Laisser refroidir pendant quelques minutes et servir.

Par portion : 133 kcal, 8 g de gras, 5 g de gras saturés, 12 g de glucides, 0,05 g de sodium

Sabayon aux framboises
Une délicieuse mousse légère avec crème anglaise et framboises fraîches. Le goût légèrement acide des fruits ajoute un peu de piquant à ce dessert.

Donne 4 portions

225 g (½ lb) de framboises fraîches	30 ml (2 c. à soupe) de xérès demi-sec
Jus de ½ citron	30 ml (2 c. à soupe) de vin blanc sec
10 ml (2 c. à thé) de sucre glace	60 ml (¼ de tasse) de yogourt grec pauvre en gras
4 jaunes d'œufs	
15 ml (1 c. à soupe) de sucre	

Réserver 12 framboises pour garnir et réduire le reste en une purée au mélangeur, avec un bon trait de jus de citron. Passer au chinois pour éliminer les graines. Ajouter du sucre glace, en conservant aux fruits un peu de leur goût sur, puis réserver.
Mettre les jaunes d'œufs et le sucre dans un grand bol à l'épreuve de la chaleur. Incorporer le xérès et le vin au fouet. Poser sur une casserole d'eau frémissante et faire chauffer doucement, en fouettant continuellement jusqu'à ce que la préparation soit très légère mais qu'elle se tienne. Lorsqu'elle atteint la consistance d'une glace à moitié fondue, éteindre le feu et continuer à fouetter au-dessus d'un bol d'eau glacée jusqu'à ce que le mélange refroidisse, pour éviter qu'il ne se sépare.
Incorporer délicatement le yogourt. Verser la purée de framboises et mélanger en tournant pour donner l'effet d'un tourbillon. Mettre dans des verres à pied, garnir des framboises réservées et servir avec des gaufrettes, si désiré.

Par portion : 126 kcal, 6 g de gras, 2 g de gras saturés, 10 g de glucides, 0,02 g de sodium

Douceur à la mangue

La mangue et la lime font un merveilleux mariage de saveurs. Ce dessert rafraîchissant est idéal après un repas copieux. **Donne 4 portions**

2 jaunes d'œufs
25 g (1 oz) de sucre
30 ml (2 c. à soupe) de kirsch
(facultatif)
Jus de 2 limes

175 ml (6 oz) de yogourt grec
pauvre en gras
2 mangues, pelées,
dénoyautées et en purée

Placer un bol au-dessus d'une casserole d'eau frémissante, y mettre les jaunes d'œufs et le sucre et battre jusqu'à ce que la préparation épaississe et triple de volume, 10 minutes environ. Placer le bol sur de la glace. Fouetter jusqu'à ce que le mélange soit froid et réfrigérer.

Lorsque le mélange est froid, incorporer la moitié du kirsch (facultatif) et la moitié du jus de lime. Dans un autre bol, fouetter légèrement le yogourt et incorporer délicatement aux deux tiers de la purée de mangue. Toujours délicatement, incorporer au mélange aux jaunes d'œufs. Verser dans des verres ou des bols et réfrigérer.

Fouetter le reste du kirsch (facultatif), du jus de lime et la purée de mangue et déposer sur la préparation dans les verres.

Par portion : 177 kcal, 5 g de gras, 2 g de gras saturés, 29 g de glucides, 0,04 g de sodium

Figues pochées dans du vin rouge aux framboises

Les figues retrouveront ici leur véritable place. **Donne 4 portions**

450 g (1 lb) de framboises ou de mûres	45 ml (3 c. à soupe) de crème (liqueur) de mûre ou de crème (liqueur) de cassis (facultatif)
Jus de 2 citrons	
Jus de 1 orange	
50 g (2 oz) de sucre	15 ml (1 c. à soupe) de menthe fraîchement hachée
1 verre de vin rouge	
8 figues fraîches fermes	Fromage frais pauvre en gras, pour servir

Au mélangeur, réduire en une purée lisse les petits fruits avec les jus de citron et d'orange. Filtrer au chinois et verser dans une casserole non réactive (pas en aluminium). Jeter les graines.

Ajouter le sucre et le vin rouge à la purée de petits fruits et porter à ébullition à feu moyen. Laisser mijoter doucement en écumant la surface. Lorsque le sucre est dissous, ajouter les figues et les faire pocher de 5 à 6 minutes selon leur degré de mûrissement. Lorsqu'elles sont cuites, déposer les figues dans un bol en verre.

Faire réduire le liquide de cuisson à environ 300 ml (1 ¼ tasse). Laisser refroidir. Incorporer la crème de mûre ou de cassis (facultatif) et la menthe et verser sur les figues. Couvrir et réfrigérer toute la nuit. Servir avec du fromage frais pauvre en gras.

Par portion : 153 kcal, 0,6 g de gras, 0 g de gras saturés, 31 g de glucides, 0,01 g de sodium

Tarte aux pommes et aux noisettes

La cannelle et les clous de girofle ajoutent une petite note exotique à ce dessert classique. **Donne 6 portions**

4 pommes Granny Smith, pelées, coupées en deux et évidées	2 ml (½ c. à thé) de clous de girofle moulus
Jus de 1 citron	225 g (½ lb) de pâte feuilletée, décongelée si elle est surgelée
2 pommes Bramley, pelées, évidées et en dés	25 g (1 oz) de noisettes, grillées et hachées
50 g (2 oz) de sucre	1 œuf, battu
2 ml (½ c. à thé) de cannelle moulue	15 ml (1 c. à soupe) de sucre glace

Mettre les pommes Granny Smith dans un bol avec le jus de citron et suffisamment d'eau pour les recouvrir. Mettre les pommes Bramley dans une casserole avec 45 ml (3 c. à soupe) d'eau, couvrir et laisser mijoter 20 minutes, en remuant de temps en temps. Incorporer en battant le sucre, la cannelle et les clous de girofle jusqu'à ce que le mélange ait la consistance d'une purée. Retirer du feu et laisser complètement refroidir.

Sur une surface farinée, abaisser la pâte en un carré de 23 cm (9 po). Déposer sur une plaque de cuisson tapissée d'un papier sulfurisé et réfrigérer au moins 30 minutes.

Égoutter les pommes Granny Smith et détailler chaque moitié en 8 tranches.

Préchauffer le four à 200 °C / 400 °F / 6 au four à gaz.

Sortir la pâte du réfrigérateur et étaler la purée dessus avec une spatule, jusqu'à 1 cm (½ po) des bords. Parsemer de noisettes, puis couvrir de rangées de tranches de pomme qui se chevauchent. Badigeonner d'œuf battu le pourtour de la tarte. Faire cuire au four de 15 à 20 minutes ou jusqu'à ce que la pâte soit gonflée et dorée et les pommes, tendres et dorées.

Sortir la tarte du four et la saupoudrer de sucre glace afin de couvrir les tranches de pomme. Avec un chalumeau de cuisine, caraméliser les pommes ou placer la tarte sous le gril très chaud pendant quelques secondes. Servir en pointes avec un peu de Crème anglaise à la vanille (voir page 135), si désiré.

Par portion : 308 kcal, 14 g de gras, 6 g de gras saturés, 43 g de glucides, 0,08 g de sodium

Carpaccio d'ananas avec sauce « daiquiri » aux fruits

De minces tranches d'ananas dans un cocktail de fruits. Ce dessert est pauvre en gras et riche en saveur. Donne 4 portions

1 ananas moyen, pelé, évidé, les yeux enlevés

2 bananes mûres, pelées

125 g (¼ de lb) de fraises mûres, équeutées

45 ml (3 c. à soupe) de yogourt grec pauvre en gras

30 ml (2 c. à soupe) de rhum brun

15 ml (1 c. à soupe) de miel

4 brins de menthe

Avec un couteau affilé, couper les ananas en tranches aussi minces que du papier et les disposer de sorte qu'elles couvrent le fond de 4 grandes assiettes. Au mélangeur, liquéfier en une purée lisse les bananes, les fraises (en réserver 4 pour décorer), le yogourt, le rhum et le miel.

Trancher les 4 fraises réservées. Napper les ananas de sauce aux fruits et garnir des fraises et des brins de menthe.

Par portion : 157 kcal, 1 g de gras, 1 g de gras saturés, 32 g de glucides, 0,02 g de sodium

Salade de fruits au jus de kiwi

Une salade de fruits qui a du goût : le vin doux légèrement épicé accompagne admirablement bien les fruits. Idéal pour l'été : léger, fruité et vraiment délicieux. Donne 4 portions

300 ml (10 oz) de vin Gerwurztraminer

30 ml (2 c. à soupe) de miel liquide

6 kiwis, pelés

2 pommes Granny Smith, pelées et évidées

30 ml (2 c. à soupe) de jus de citron

1 mangue, pelée, dénoyautée et en dés

10 grosses fraises, équeutées et coupées en deux

½ ananas, pelé, évidé, les yeux enlevés, et en cubes

Porter le vin et le miel à ébullition, puis laisser refroidir à la température ambiante.

Au robot culinaire, mélanger 4 kiwis et la préparation au vin et au miel. Si vous le désirez, passer les kiwis dans un chinois pour en éliminer les graines. Détailler en 8 quartiers chaque kiwi qui reste.

Couper les pommes en dés, les mélanger d'abord avec le jus de citron, puis avec les autres fruits.

Disposer la salade de fruits au centre d'un bol, verser le jus au kiwi autour et réfrigérer jusqu'au moment de servir. Garnir de quartiers de kiwi.

Par portion : 253 kcal, 1 g de gras, 0 g de gras saturés, 50 g de glucides, 0,02 g de sodium

Croustillant aux pommes et aux fruits

Rempli de fruits, d'épices et de toutes sortes de bonnes choses, le muesli fait une délicieuse garniture saine, merveilleusement croquante. Donne 6 portions

3 pommes Granny Smith, pelées, évidées, chacune coupée en 8

2 pêches, pelées, dénoyautées, chacune coupée en 6

50 g (2 oz) de fruits séchés mélangés tels que canneberges (airelles), bleuets (myrtilles), cerises

15 ml (1 c. à soupe) de cassonade molle

2 ml (½ c. à thé) de cannelle moulue

2 ml (½ c. à thé) d'épices pour tarte aux pommes

Jus et zeste râpé de 1 orange

30 ml (2 c. à soupe) de farine

175 g (6 oz) de muesli non sucré

Préchauffer le four à 180 °C / 350 °F / 4 au four à gaz.
Mélanger tous les ingrédients, sauf le muesli et déposer à la cuillère dans un plat de cuisson. Parsemer du muesli et faire cuire au four 45 minutes environ, jusqu'à ce qu'il soit doré et que les fruits bouillonnent. Servir avec de la Crème anglaise à la vanille (voir ci-contre).

Par portion : 203 kcal, 3 g de gras, 0,4 g de gras saturés, 43 g de glucides, 0,02 g de sodium

Crème anglaise à la vanille

Une variante de la crème classique que vous adopterez d'office. Les gousses de vanille donnent un arôme qui séduit. À servir avec vos poudings aux fruits préférés. Donne 4 portions

30 ml (2 c. à soupe) de farine de maïs

20 ml (4 c. à thé) de sucre

600 ml (2 ⅓ tasses) de lait écrémé

1 gousse de vanille ou 5 ml (1 c. à thé) d'extrait de vanille

2 jaunes d'œufs

Mélanger la farine de maïs et le sucre avec un peu de lait pour former une pâte, puis ajouter le reste du lait.
Fendre la gousse de vanille dans le sens de la longueur et, avec la pointe d'un petit couteau, racler les graines dans le lait, puis jeter la gousse dans le lait ou la remplacer par de l'essence de vanille.
Faire chauffer le lait à feu doux jusqu'à ce que le mélange bouille et épaississe. Retirer la gousse de vanille (facultatif) et, à l'aide d'un fouet, incorporer délicatement le lait aux jaunes d'œufs. Remettre sur le feu et faire cuire très doucement, en remuant continuellement, jusqu'à ce que la crème nappe le dos d'une cuillère. Ne pas faire bouillir. Servir chaud ou froid.

Par portion : 129 kcal, 3 g de gras, 1 g de gras saturés, 20 g de glucides, 0,09 g de sodium

Pouding au riz et aux fruits *Ce pouding n'a rien en commun avec le pouding au riz « ordinaire ». Il regorge de saveurs et de fruits et est préparé avec du riz brun pour offrir un supplément de fibres.* Donne 6 portions

100 g (4 oz) de riz brun, rincé
350 ml (¾ de tasse) de lait écrémé
4 œufs moyens
25 g (1 oz) de margarine, ramollie
75 g (3 oz) de sucre

75 g (3 oz) de fruits séchés mélangés tels que canneberges (airelles), cerises, bleuets (myrtilles), raisins de Smyrne
2 ml (½ c. à thé) de cannelle moulue
125 g (¼ de lb) de framboises

Porter le riz et le lait à ébullition dans une casserole, puis baisser le feu, couvrir et faire cuire jusqu'à ce que le lait soit absorbé, 1 ½ heure environ.

Préchauffer le four à 180 °C / 350 °F / 4 au four à gaz.

Dans un bol, battre les œufs. Les incorporer doucement au riz, un peu à la fois, puis ajouter la margarine et le sucre.

Saupoudrer les fruits séchés de cannelle, puis les ajouter au mélange au riz.

Mettre quelques framboises dans 6 ramequins, puis les remplir de mélange au riz. Déposer les ramequins dans une rôtissoire et verser de l'eau chaude dans la rôtissoire jusqu'à mi-hauteur des ramequins. Faire cuire au four 50 minutes. Servir chaud ou froid.

Par portion : 248 kcal, 8 g de gras, 2 g de gras saturés, 39 g de glucides, 0,11 g de sodium

Pouding au chocolat à la vapeur

Tout le monde aime le chocolat, et cette recette est idéale pour une occasion spéciale. Le chocolat de bonne qualité a tendance à contenir moins de gras saturés que le chocolat ordinaire. Donne 6 portions

50 g (2 oz) de chocolat pour cuisson non sucré (contenant un minimum de 70 % de cacao)
110 g (¼ de lb) de farine
110 g (¼ de lb) de sucre
15 ml (1 c. à soupe) de cacao en poudre non sucré
125 ml (½ tasse) de lait écrémé

1 œuf
5 ml (1 c. à thé) de levure chimique
2 ml (½ c. à thé) de muscade râpée
75 g (3 oz) de noisettes, rôties et hachées
Margarine, pour graisser

Faire fondre le chocolat dans un bol posé sur une casserole d'eau frémissante.

Passer le reste des ingrédients, sauf les noisettes, au robot culinaire ou au mélangeur 1 minute à basse vitesse. Ajouter le chocolat fondu et mélanger 1 minute à vitesse élevée. Incorporer délicatement les noisettes.

Graisser légèrement de margarine un moule à pouding d'une capacité de 1,25 litre (5 tasses). Y verser la pâte. Couvrir d'un couvercle ou déposer dessus une feuille de papier d'aluminium graissée, fixée avec une ficelle.

Déposer le moule sur une grille déposée au fond d'une casserole. Verser de l'eau bouillante dans la casserole, jusqu'aux trois quarts du moule. Faire cuire à feu moyen 1 ½ heure environ ou jusqu'à ce qu'un couteau (ou une brochette) enfoncé au centre en ressorte propre.

Retirer le pouding de la casserole et le laisser refroidir 10 minutes. Faire courir un couteau autour du bord pour détacher du moule et renverser sur un plat de service. Servir avec de la Crème anglaise à la vanille (voir page 135).

Par portion : 289 kcal, 13 g de gras, 3 g de gras saturés, 39 g de glucides, 0,14 g de sodium

Pouding au pain et au beurre, sauce aux framboises *Un dessert réconfortant qui fait plaisir à tous.* Donne 8 portions

50 g (2 oz) de raisins de Smyrne

50 g (2 oz) de raisins de Corinthe

60 ml (¼ de tasse) de thé fort

15 ml (1 c. à soupe) d'extrait ou d'arôme artificiel de brandy

14 tranches de pain complet de moyenne épaisseur

75 g (3 oz) de margarine non salée, molle

4 œufs, plus 2 jaunes d'œufs

50 g (2 oz) de sucre glace

10 ml (2 c. à thé) d'extrait de vanille

700 ml (2 ¾ tasses) de lait écrémé

1 pincée de muscade râpée

30 ml (2 c. à soupe) de sucre

Pour la sauce aux framboises :

125 g (¼ de lb) de framboises fraîches

5 ml (1 c. à thé) de sucre glace

Jus de 2 limes

Mettre tous les raisins dans un petit bol non métallique et verser dessus le thé et l'extrait de brandy. Couvrir d'une pellicule de plastique et laisser tremper au moins 2 heures (toute la nuit de préférence). Égoutter et réserver.

Tartiner le pain de margarine. Enlever la croûte et couper chaque tranche en 4 triangles. Graisser avec un peu de margarine un moule peu profond allant au four d'une capacité de 2,5 litres (10 tasses) et disposer une couche de pain dans le fond, le côté graissé vers le haut. Parsemer de la moitié des fruits séchés réhydratés et couvrir d'une autre couche de pain, le côté graissé vers le haut. On devrait avoir utilisé environ les deux tiers du pain à cette étape. Réserver le reste. Parsemer du reste de fruits séchés réhydratés et presser dans le moule avec une pelle à gâteau.

Fouetter les œufs, les jaunes d'œufs et le sucre glace dans un grand bol. Ajouter l'extrait de vanille et le lait en fouettant. Verser les deux tiers de cette crème sur les tranches de pain dans le moule et laisser reposer de 45 minutes à 1 heure, jusqu'à ce que le pain soit bien imbibé de crème.

Préchauffer le four à 180 °C / 350 °F / 4 au four à gaz.

Verser le reste de la crème sur le pain détrempé dans le moule. Disposer le reste des triangles de pain sur le dessus, le côté margarine vers le haut. Presser fermement avec une pelle à gâteau afin que la crème remonte à mi-hauteur des triangles de pain. Saupoudrer de muscade et de sucre.

Déposer le moule dans une rôtissoire et y verser de l'eau chaude autour jusqu'aux trois quarts du moule. Faire cuire au four de 35 à 40 minutes ou jusqu'à ce que la crème soit prise et la surface, dorée.

Pour préparer la sauce, réduire tous les ingrédients en une purée lisse au mélangeur. Filtrer dans un chinois. Réfrigérer jusqu'au moment de servir.

Napper le pouding d'un peu de sauce aux framboises et servir.

Par portion : 361 kcal, 14 g de gras, 4 g de gras saturés, 49 g de glucides, 0,47 g de sodium

Index

Adresses utiles

Canada:
Diabète Québec
8550, boul. Pie-IX, bureau 300
Montréal, Québec
Canada H1Z 4G2
Téléphone: 514 259-3422 ou 1 800 361-3504
Télécopieur: 514 259-9286
Courriel: info@diabete.qc.ca
Site Web: www.diabete.qc.ca

**Association Canadienne du Diabète /
Canadian Diabetes Association**
National Life Building
1400-522 University Avenue
Toronto, Ontario
Canada M5G 2R5
Téléphone: 416 363-0177 ou 1 800 226-8464
Télécopieur: 416 408-7117
Courriel: info@diabetes.ca
Site Web: www.diabetes.ca

Bureau de Toronto:
235 Yorkland Blvd, Suite 200
Toronto, Ontario
Canada M2J 4Y8
Téléphone: 416 363-3373
Télécopieur: 416 363-3393

France:
Association Française des Diabétiques (AFD)
88, rue de la Roquette
75544 Paris Cedex 11
France
Téléphone: 01 40 09 24 25
Télécopieur: 01 40 09 20 30
Courriel: afd@afd.asso.fr
Site Web: www.afd.asso.fr

Suisse:
Association Suisse du diabète
Secrétariat général
Rütistrasse 3 A
5400 Baden
Suisse
Téléphone: 056 200 17 90
Télécopieur: 056 200 17 95
Courriel: sekretariat@diabetesgesellschaft.ch
Site Web: www.associationdudiabete.ch/

Belgique:
Association Belge du Diabète
Place Homère Goossens, 1
1180 Bruxelles, Belgique
Téléphone: 02 374 31 95
Télécopieur: 02 374 81 74
Courriel: abd.diabete@skynet.be
Site Web: www.diabete-abd.be/

Catalogage avant publication de Bibliothèque et Archives nationales du Québec et Bibliothèque et Archives Canada

Thompson, Antony Worrall
Les meilleures recettes pour diabétiques
2e éd.
Traduction de: Healthy eating for diabetes. Comprend un index.
ISBN 978-2-89455-274-2
1. Diabète - Diétothérapie - Recettes. I. Govindji, Azmina. II. Titre.
RC662.T5714 2008   641.5'6314   C2008-940057-7

Nous reconnaissons l'aide financière du gouvernement du Canada par l'entremise du Programme d'Aide au Développement de l'Industrie de l'Édition (PADIÉ) ainsi que celle de la SODEC pour nos activités d'édition.

Patrimoine canadien   Canadian Heritage   Canada   SODEC Québec

Gouvernement du Québec — Programme de crédit d'impôt pour l'édition de livres — Gestion SODEC
© Copyright pour le texte 2003 Antony Worrall Thompson et Azmina Govindji
© Copyright pour les photographies 2003 Steve Lee
© Copyright pour la conception graphique 2003 Kyle Cathie Limited

Édition: Muna Reyal
Conception graphique: Carl Hodson
Photographie: Steve Lee
Accessoires: Jane Suthering, assistée de Julian Biggs
Stylisme: Penny Markham
Révision: Anne Newman
Analyse des recettes: Dr Wendy Doyle
Gestion de projet: Sha Huxtable
Publié originalement en Grande-Bretagne par Kyle Cathie Limited, 122 Arlingon Road, Londres, Angleterre NW1 7HP

© Pour l'édition en langue française Guy Saint-Jean Éditeur inc. 2004, 2008
Déjà publié en langue française sous le titre *Gastronomie santé pour diabétiques*

Traduction: Dominique Chauveau
Révision: Jeanne Lacroix
Infographie: Christiane Séguin

Dépôt légal — Bibliothèque et Archives nationales du Québec, Bibliothèque et Archives Canada, 2008
ISBN 978-2-89455-274-2

Distribution et diffusion
Amérique: Prologue
France: Volumen
Belgique: La Caravelle S.A.
Suisse: Transat S.A.

Guy Saint-Jean Éditeur inc., 3154, boul. Industriel, Laval (Québec) Canada. H7L 4P7.
Tél.: 450 663-1777 • Courriel: info@saint-jeanediteur.com • Web: www.saint-jeanediteur.com

Guy Saint-Jean Éditeur France, 48 rue des Ponts, 78290 Croissy-sur-Seine, France.
Tél.: 1 39 76 99 43 • Courriel: gsj.editeur@free.fr

Imprimé à Singapour